JN016504

続・宇宙のカケラ
物理学者の詩的人生案内

佐治晴夫

毎日新聞出版

はじめに

人生の長さは、宇宙の年齢の1億分の1にも満たない一瞬ですが、当の本人にとっては、自分の誕生も終焉も意識の外ですから、始まりも終わりもなく、時間を超越した永遠の生涯のように思えるのは不思議です。

それればかりか、私たちは、１３８億年の遠い昔、ふとした小さなゆらぎから、突如、火の玉が爆発するようにこの宇宙が生まれたことの証拠を証明可能な客観的事実として、つかんでいます。天空のあらゆる方向から等方的に降り注いでくる宇宙電波雑音、すなわち３K宇宙背景放射の発見です。そして、さらに、その等方的な電波雑音をくわしく調べると、10万分の1というわずかな変動（ゆらぎ）があって、それが、無からの宇宙創生の証拠であることまでもわかってきました。ということは、１３８億年の遠い昔は、過去としてではなく、現在のこととして認識されているわけです。

それだけではありません。夏の星座、「こと座」の中に見えるドーナツ状の環状星雲Ｍ57が、今からおよそ50億年後の私たちの未来をみせてくれています。それは、現在膨張を続ける太陽が、地球を含む太陽系の惑星たちを呑み込んで、すべて宇宙の霧となって消滅する風景を先取りしたものです。また、ごく最近になって、未来の太陽のように年老いた恒星が、惑星を呑み込んでいく様子が、リアルタイムで観測されています。ということは、私たちの未来の姿も、現在の宇宙の中のできごととして見えているということで、私たちの遠い未来のことも未来のこととしてではなく、現在のこととして認識されていることになります。

それらにくわえて、宇宙がどのようにして星たちをつくり、その星の中で人類の誕生にいたったのかというプロセスについても証明可能な科学的事実としてわかってきています。そこからえられる結論は、人間もまた、星のカケラであり、宇宙のカケラであるということです。それらについてのくわしい解説は、本書の姉妹書である『宇宙のカケラ　物理学者、般若心経を語る』（毎日新聞出版、２０１９）を参照いただければと思います。

この宇宙のカケラという視座は、ヘーゲルの精神現象学に倣っていえば、私たちは、宇宙の中の私として成長していくのであり、とすれば、宇宙もまた、私たちの中で認識され成長していくということになるのかもしれません。

ところで、本書は、そのような観点から、一人の物理学徒の目にうつった折々の世界の風景を書き記したエッセイを一冊にまとめたものです。それぞれのエッセイのテーマは独立していますから、どこからお読みいただいても結構です。また、新しく書き下ろしたエッセイのほかに、すでに書かれていたいくつかのエッセイも加えましたので、内容の一部に重複する部分がありますが、ここは重要箇所の復習と心得て、読み進めていただければと思います。そして、それらの中から何かひとつでも、人生への指針となるヒントを見つけてくださったとしたら、これに勝る喜びはありません。

目次

第1章 急がなくてもいいのですよ

第4章 遠い世界から

第5章 老いて老いないということ

第6章 幸せについて考える

特別講義

続・宇宙のカケラ　物理学者の詩的人生案内

第1章　急がなくてもいいのですよ

今日の心配事

一ぽんの木は
ねむっているわたし
幹は夜を吸いこんで
梢は夢のかたちにひらく

（岸田衿子「ソナチネの木」より）

一日の仕事を終えて、眠りにつこうとするとき、ふと考えます。「あした」って何だろう。

漢字では、明るい日、と書きますが、明るいのか、暗いのか、今は、まったくわかりません。〝あした〟になってみなければわかりません。でも、〝あした〟が新しくやってくるのであれば、〝今日〟の終わりがあるはずです。今日の23時59分59秒は、〝あした〟まであと1秒です。23時59分59・9秒は、〝あした〟まで、0・1秒です。こうして、59・9999……と、どこまでも続けていっても、いっこうに〝あした〟のはじまりとなる0時0分0秒はやってきません。不思議です。

この問題は、0・99999……＝1が成立するかどうかにかかっています。

昔の電子卓上計算機で1÷3とたたくと、0・333333……という答えがでてきますが、それを3倍すると0・999999になって1÷3×3＝0.999999……という結果になってしまい、たくさんの子どもたちから質問攻めにあったことがあります。

実は、0・99999……＝1という関係は、9がどこどこまでも無限に続いていれば、厳密に成立します。9の桁を多くすればするほど、1に近づいていき、9が無限個つながれば、完全に1になるということです。その厳密な証明はさておき、こう考えてみたらどうでしょうか。

長さ1の線分を9等分すると、それぞれの等分点は、線分の両端を0（＝0／

9）、１（＝9／9）とすれば、１／9、２／9、３／9、……7／9、８／9になるでしょう。ここで、それぞれの等分点を、割り算して小数になおすと、１／9＝０・１１１１１……、２／9＝０・２２２２２……。

同様に、８／9＝０・８８８８８……になります。そして、つぎの9／9、つまり1は、この流れからいえば、０・９９９９９……になることが予想されます。

これは、数学的には、十分、根拠のある正しい考え方です。いかがでしょう。

ここで、最初の話に戻すと、今日の終わりは、23時59分59・９９９９９……秒の限りなく先にあって、いつのまにか、59・９９９９９……秒が、60・００００……秒、つまり、23時59分60秒（＝24時０分０秒）になっているということです。

それは、眠りに入って、朝、目覚めてみたら、〝あした〟になっていた、という感覚です。

それにしても不思議なのは、夜更かしして日付をまたいでいても、感覚的には〝今日〟のままで、「今日は休んで、また〝あした〟にしよう」などと、思うことです。これは、冒頭に掲げた岸田衿子さん（1929～2011）の詩のように、ひとまず、夢の世界に旅立ち、目覚めたときに〝あした〟が訪れるということでしょう。疲れたら、まず休むことです。そして、朝、目覚めたとき、いつのまにか、新しい〝あした〟になっています。私の経験からいえば、今日の心配事の9割は起こりません。〝あした〟とは、希望の象徴なのですね。

俳句の中の宇宙

もともと、宇宙という言葉は、今から2000年以上も昔に書かれた中国の古典、「淮南子（えなんじ）」の中にでてくる言葉で、宇とは四方上下、つまり空間、宙とは往古来今、つまり時間のことだと記されています。宇宙とは、空間、時間の総称だというのです。ところで、こんな俳句があります。松尾芭蕉（1644〜1694）と与謝蕪村（1716〜1784）の作品です。

涼しさやほの三日月の羽黒山　（芭蕉「奥の細道」）

涼しさや鐘をはなるるかねの声　（蕪村「蕪村句集」）

いずれも、夏の夜の涼しさを描いたものですが、芭蕉は、ほの三日月の「明」に、黒々と静まり返った夜の山の「暗」を対比させて、雄大な空間の中で、静まり返る時間の流れを表現しています。一方、蕪村は、鐘という言葉を、重複させて、広がっていく音で時間を表現しています。いずれも絵画的な時間、空間の広がりを表現しています。つまり、宇宙を描いています。

それでは、なぜ、わずか十七文字の羅列である俳句という形式で、そんな表現が可能なのでしょうか。

その理由の一つは、先ほどの句で言えば終わりの言葉が、体言、つまり名詞に代表される言葉で止められていることです。それは、状況や動きを示す動詞、形容詞などの用言で止めるよりも、時間的な余韻、余情を残す効果が大きくなります。

これは、弦楽器の演奏で、弦をしっかりと押さえないと、いい音がでないということにそっくりです。それだけではありません。俳句を外国語に訳すと、原句の数倍以上の長さになってしまいますが、この俳句の短さを可能にする要因として、日本語だからこその特徴があります。

たとえば、「私はあなたに一個のリンゴをあげる」を英訳すると「I give you an apple」になりますが、この語順を文法上の誤りをおかさずに入れ替えることはできません。しかし、日本語では、「あなたに私は一個のリンゴをあげる」というように、語順の変更は可能です。さらに、主語を省いて「夕べ、星、見た？」だけでも文法上の誤りはなく、「あなた」が見たかどうかを問う正しい文章になっています。つまり、日本語は外国語にくらべて、語順入れ替えや主語などの省略には寛大なのです。選択肢が多いと言い換えることもできます。

そのなかで、無駄のない語順を選んだものが名作だということになります。これは、数学の問題を解く場合、できるかぎり単純明快に解くことが、数学では「美しい」とされることに似ています。

そんなことを念頭において、芭蕉最後の句と蕪村の辞世の句を読んでみると、芭蕉は、命が尽きたあとも夢のなかで永遠に漂泊の旅を続けることを願い、蕪村は、大自然の情景の中に自分の永遠の姿を沈潜させていこうとする気持ちがにじみ出ていて、心を打たれます。芭蕉は、時間的ひろがりで永遠を、蕪村は、空間的ひろがりで永遠を希求しているように思います。俳句の世界ってすごいですね。

旅に病んで夢は枯野をかけ廻る　（芭蕉「笈日記」）

しら梅に明くる夜ばかりとなりにけり　（蕪村「から檜葉」）

「０」の世界の豊かさ

みなさんは、誰かから〝なにもしないでね〟と言われたらどうしますか。その言葉に従うとすれば、〝はい、もういいですよ〟という中止命令がだされるまで、〝なにもしない〟ことをやり続けるしかありません。この〝なにもしないことをする〟ということのなかに、「０」の世界があります。

金魚鉢から紙の網で金魚をすくう場面を想像してください。もし、紙の網が破れて、１匹すくえなかった場合、０匹すくったと考えれば、すくった回数と、すくった金魚の数の間に対応がつきますから全体像がはっきりします。「０」とは、なにもない「無」ではなく、〝ない〟という状態を示す数だということになります。たとえば、「私はお金を持っていない」ということの英語表現は、「I have no money

（私は〝ないお金〟を持っている）」になる事情に似ています。

これは、インド哲学の主流ともいえるミーマーンサー哲学における「無」の考え方にも似ています。ここでは、「机の上に花がある」という命題の否定は、「机の上に花がない」ではなく、「机の上に〝無の花〟がある」というように考えます。ものごとを有、無で分別するより、「無そのものも実在」にしてしまうところがすごいですね。「苦」は、有、無の分別から生じると考えられますから、そのことを避けたかったのかもしれません。また、インドで発見されたとされる0、ゼロのサンスクリット語は、シューニャター（śūnyatā）で、その漢訳が「空（くう）」です。般若心経などに、色即是空、空即是色などとしてでてくる「空」です。つまり、「空」とはゼロの意味であって、分別を超えた〝とらわれない〟境地ということになります。「空」の実践とは、「とらわれない」ことの実践ですが、「とらわれない」と思うあまり、「とらわれない」ことにとらわれることにおいて困難だといわれています。しかし、現代宇宙論が見つけたように、すべては、一粒の光から生まれ、枝分かれしてきたのですから、あらゆる存在は互いに関係性をもっていて、独立存在としての実体はないことを実感することこそが、「空」の実践の出発点になるのではないかと思います。１－１は０です。だから０は、何もないのだ、と考えるよりも、それを逆にして０＝１＋（－１）でもあり、０＝２＋（－２）でもあるのですから、０は、すべての何かを生み出す源泉であると考えると、まわりの世界の見え方が違ってきて、元気になれるような気がしますが、みなさん、いかがでしょう。

そのとき　無もなかりき、有（う）もなかりき。空界もなかりき、
その上の天もなかりき。何ものか発動せし、いずこに……。
かの唯一物（タート・エーカム　〝tad ekam〟　中性の根本原理）は、
自力により風なく呼吸せり。

（リグ・ヴェーダ讃歌　10章129歌　〝宇宙開闢（かいびゃく）の歌〟　辻直四郎 訳）

人生はあみだくじ

〝宇宙はなぜあるのか？〟。私たち宇宙の研究者にとっては、一番、こわい質問です。実は、通例の科学の方法は、ひとつの仮定から出発して、推論を重ね、そこでつくられた理論の枠組みのなかで、現在、問題としている現象がうまく説明できるかどうかで、その考え方が正しいかどうか判断します。たとえば未来は過去から演繹されるという方法です。ところが、〝宇宙はなぜあるのか？〟というようなとてつもなく根源的なテーマにとっては、この方法論を適応するのは困難です。

というのは、宇宙のはじまりには、どんな物理法則がはたらいていたのかは不明であり、物理法則が存在していたとしても、その最初のきっかけとなる条件、つまり初期条件がまったく霧の中でわからないからです。現在、私たちが物理法則であるとしている法則など、なかったかもしれないからです。そこで、これまでの視点を逆にして、過去そのものの未来に基づいて過去を予測する方法に切り替えてみると、興味深いことが見えてきます。つまり、未来から過去を照射しようという逆遠近法です。そのプロセスの一例を書き上げてみると、①〝宇宙はなぜあるのか？〟という問いかけをしている私がいる↓②私の体は、水素と酸素、炭素などからできている↓③それらは星の中での核融合反応によって生成される↓④そのためにある期間、星は光り輝き続ける必要がある↓⑤その後、超新星爆発して↓⑥星のカケラが宇宙空間にばらまかれ↓⑦そこから地球が誕生しなければならない……などと推論を進めていきます。その結果、これらの過程が実現するような宇宙定数、たとえば、その宇宙の光速度、重力定数、原子間力を決める定数などが決定され、宇宙の設計図が完成します。つまり、〝今あるような宇宙が存在するのは、ほかならぬ、われわれが存在しているという事実に基づくものである〟という結論が得られます。一般に「人間原理」といわれている考え方です。この考え方は、私たちが日常生活を送る上でも有益な助言を与えてくれます。

たとえば、物事がうまくいかないときには、まず、そこでいったん立ち止まり、〝うまくいかない〟と思っている自分の現状と向き合うことによって、周囲の状況が見えてきます。そこから原因、結果の連鎖をたどっていくと、どの部分で、どの連鎖を断ち切れば、現状改善につながるかが見えてきます。人生は、「あみだくじ」のようなものですが、人生の特長は、それぞれの分岐点ごとに、どちらを選ぶかの選択ができて、修正が可能であることです。そのことこそが、「生きている」からこそできる私たちに与えられた特典だと思います。

地球の上には　数えきれない
毬がころがっているにちがいない
夜になると　毬は毬を生み続け
かすかに光りながら　天空を巡りはじめる

（岸田衿子〝毬Ⅱ〟「いそがなくてもいいんだよ」より）

今日を肯定する

イソップ物語に「キツネと葡萄」という話があります。空腹のキツネが、通りがかりに、おいしそうな葡萄を見つけます。何度も飛び上がってとろうとしますが、どうしても届きません。キツネは「あの葡萄はきっとすっぱいんだ。だから、もういらない！」と言い捨てて去っていくという物語です。さて、あなたがこのキツネの立場だったら、どうしますか？　敬虔なクリスチャンだったら、「すべては神の御心なのだから、今は必要ないということだろう」となるでしょうし、熱心な仏教徒であれば、「あの葡萄がおいしいかどうかは、食べてみなければわからない。すっぱければ、無用の努力になってしまう。つまり、今の私に必要なのかどうかは疑問である。したがって諦めよう」といって、静かに立ち去るでしょう。諦めるとは、必要ないことが〝明らか〟になることなのです。さらに、心やさしい詩人だったら「私よりもおなかがすいた小鳥にでもゆずりましょう」ということになるかもしれません。このキツネの立場は、自分の能力不足を正当化、あるいは擁護することで、外の世界に向かう〝負け惜しみ〟だとされていますが、それを自分の心の内に向かう内省に転化すれば、新しい世界観が生まれて、気持ちのリセットにもなります。諦めることのさわやかさです。このように、私たちの日常生活では、ひとつの物事、事柄について、ポジティブな感情とネガティブな感情が揺れ動いていて、この〝ゆらぎ〟があるからこそ、心の健康が保たれることになります。どちらか一方に偏ってしまうと、心身ともに疲弊してしまいます。

ところで、私たちの日常会話では、どちらかといえば、ネガティブな表現が多いようです。〝鬱陶しいお天気ですね。お忙しいですね、お疲れさまです、つまらないものですが……〟など、相手を気遣う気持ちと謙譲表現ではありますが、全体として否定的色彩があることは否めません。この否定的な情報発信の優位性は、生きていくために必要な危険回避行動という防衛本能に根ざすものでしょうが、心の安定化をはかるためには、肯定することで中和することが必要です。そのためには、一日の終わりに、今日一日を振り返って、経験したこと、見聞したことの中に、肯定の言葉を拾いにいくことがとても有用です。勤め帰りに何気なく見上げた夕焼け空が美しかったこと、帰りのエスカレーターで、〝リュックのふたが開いてますよ〟と声をかけてくれた人のやさしさ、などなど。すべての疲れがリセットされて明日への元気がでるかもしれません。

明日への元気は、肯定の言葉を拾いにいくことの先に。

最善の未来

２０２２年末から２０２３年にかけて、旭川の大雪クリスタルホール音楽堂を皮切りに、横浜の神奈川県民ホール、奈良ホテルなどで、88歳記念レクチュア&コンサートを開催することができました。予想をはるかに超える方々が来てくださって、その7割が初対面での出会いでしたが、観客席から伝わってくる熱いメッセージには、たくさんの元気をいただき、これからの人生への新しい指針が定まったような気がしています。

考えてみれば、人生は、それぞれの出来事や他者との出会いが分岐点となって織り込まれていく織物に似ています。つまり、その分岐点をどのように受け入れるかは、各人の自由な選択にまかされているわけですから、ある意味からすれば、人生とは、出会いという糧を食みながら、自分という唯一無二の作品を制作していく過程だともいえるでしょう。

ところで、私は特定の宗教の信奉者ではありませんが、教養の書として旧約聖書を愛読していて、とりわけ、その中の一節、〝コヘレトの言葉〟に関心を寄せています。その第3章1～11節には、こう書かれています。

「天の下では、すべてに時機があり、すべての出来事に時がある……神は、すべてを時に適ってうるわしくつくり、永遠を人の心に与えた……」

私たちの日常は、空間という舞台の上で、私たち人間を含む物という演者が、時間とともに繰り広げるドラマのようなものですが、この旧約聖書にでてくる表現は、出来事の舞台である空間と時間とを一体化していて、アインシュタイン（1879～1955）の相対性理論に通じる趣があります。さらに興味深いのは、原典の言語であるヘブライ語には、過去、現在、未来の三つの時制がなく、完了形、未完了形しかありませんから、時間の流れという感覚が薄く、時の訪れがものごとを生起させるのではなく、ものごとが、それに適った〝時〟をつれてくると考えている視点です。この考え方は、曹洞宗の開祖、道元禅師（1200〜1253）の大著、「正法眼蔵」の中の一節、有時の巻で、「今日より今日へ、明日より明日へ経歴す」、つまり、過去、未来は、すべて現在の中にあって、実在するのは〝今、この時〟のみという主張で、できごとと時の一体化を説く旧約聖書の時間論そのものです。

日々の暮らしの中で、人やできごととの出会いという分岐点では、ひとまず、まるごと受け入れた上で進むべき方向を決めることが最善の未来という〝時〟を連れてくることになるのでしょう。今を否定しないことの先に、豊かな未来が訪れるということです。

急がなくてもいいのですよ

〝急がなくていいのですよ〟。この言葉ほど、あわただしい日々を送っている私たちに、ほっとする瞬間を与えてくれる言葉はほかにはありません。それくらい、私たちは、いつも時間に追われているようです。そんなとき、ふと思い出す詩があります。岸田衿子さんの「地球に　種子が落ちること」という詩です。

地球に　種子が落ちること
木の実がうれること
おちばがつもること
これも　空のできごとです

（岸田衿子「あかるい日の歌」〝ソナチネの木〟より）

自然の営みは、誰に媚をうるでもなく、粛々と進んでいることに驚きます。これは、誰にでも、見ることができる光景ですが、その奥には、とても大切な生き方指南が潜んでいるように思います。ある見方からすれば、人生は、その瞬間、瞬間が、くじ引き、のようなものであって、まるで、たくさんの選択肢がある迷路を潜り抜けていくようにも思えます。そんなとき、私たちは、他者よりも、早く選択したほうが有利になるように思ってしまいます。しかし、やさしい数学の立場から考えると、早い、遅いという順番に優位性はありません。〝急がなくてもいいのです〟。

話を簡単にするために、2本のうち、当たりくじが1本あるくじ引きをAさんとBさんが引く場合を考えましょう。Aさんが最初に引いて当たる確率は、2本のうちの1本ですから1／2です。その場合、Bさんには、はずれの1本しか残っていませんから、結果は、100％はずれです。しかし、最初にくじを引いたAさんがはずれる確率も1／2で、その場合は、Bさんは、100％の確率で当たりくじを引くことになります。Aさんがはずれる確率が、そのままBさんが当たりくじを引く確率になるからです。つまり、くじを引く順番には関係なく、Aさん、Bさん、どちらが先に引いても、当たりやすさは同じです。といわれても、心情的には、やはり、最初に引きたくなるかもしれませんね。しかし、それは錯覚、言い換えれば、思い込みなのです。そのことに気づいているか、いないかで、毎日の疲れ方が違ってくると思いますが、いかがでしょう。

かつて、イタリアの物理学者、ガリレオ・ガリレイ（１５６４～１６４２）は、こんな言葉を残しています。

「宇宙は、数学という言葉で書かれている（UNIVERSO È SCRITTO IN LINGUA MATEMATICA）」

私たちも、宇宙のカケラなのですから、案外、数学の世界の中にいるのかもしれませんね。だから、〝急がなくてもいいのです〟。

小さな渦巻を夢みて

88年の人生を振り返るとき、これまでに増して強く感じていることがあります。それは、初対面の人に会って、いろいろとお話しをしているうちに、意外なところで、繋がっていたことがわかり、人間社会の中にはりめぐらされている目には見えないネットワークへの驚きです。

数え上げればきりがありませんが、最近のことだけを考えても、私の米寿記念イベントで使った音楽ホールが、これまでになく、すばらしい響きだったことに助けられたのですが、そのホールの設計者が、私の兄の旧制中学時代のクラスメイトで、幼稚園時代の私をかわいがってくれていた人であったということなど、偶然のこととはいっても、何かの繋がりを意識せざるをえない出来事でした。ある社会心理学者の調査によれば、一人の人が、一生のうちで、年賀状を交わすような付き合いをする相手の人数は、平均すると５００人なのだそうです。とすれば、その人と関わりをもつ相手も５００人です。つまり、友人の友人までを知り合いの可能性がある集団だとすれば、その人数は５００人×５００＝25万人になります。私の経験からいえば、友人の友人の友人と偶然に関わりをもつことも多々ありましたから、そこまで広げると、５００人×５００×５００＝１億２５００万人となり、これは、日本全体の人口になってしまいます。直接的には未知の人たちであっても、実際には、すでに繋がっているか、少なくとも未来において関わる可能性を秘めたたくさんの人たちが存在しているということです。ここで思い出すのが、茨木のり子さん（１９２６〜２００６）の詩「小さな渦巻」の中の一節です。

ひとりの人間の真摯な仕事は
おもいもかけない遠いところで
小さな小さな渦巻をつくる

それは風に運ばれる種子よりも自由に
すきな進路をとり
すきなところに花を咲かせる

（茨木のり子「対話」より）

この詩は、日頃、仕事に明け暮れている人たちに勇気と希望を与えます。私の経験から言っても、何かの仕事に打ち込んでいるとき、自分の意志でしているというよりも、何か見えない力に動かされていると感じる瞬間があります。わずかなことでも軽んじないで真摯に行う仕事は、どこかで、新しいご縁や幸せへと繋がるかもしれませんし、知らないうちに誰かにいい影響を与えるきっかけになっているかもしれない、ということです。

それが、まわりまわって自分に幸せを運んでくることも確かです。

思えば叶う

「月日は百代の過客にして、行きかふ年もまた旅人なり」。よく知られた松尾芭蕉の「奥の細道」の冒頭の部分ですが、たしかに、私たちの人生は、時間の波にゆられて日々、二度と後戻りすることのない旅を続けているようなものです。そこに旅行とは異なる旅の特徴があります。旅行には、出発という起点があり、帰着という終点があります。その一方で、旅には、どこか、一方通行的なニュアンスがありますから、人生にもたとえられるのでしょう。

つまり、「今」を生きているという一瞬は、過去からの集積の結果であり、これからの集積が未来をつくっていくのですから、人生とは、その一瞬の時間をたどる絵巻を描く旅だともいえそうです。ところで、旅には、必ず行き先があるという意味で目的が伴います。目的がないぶらりひとり旅だといっても、「ぶらりひとり旅」という目的がすでに設定されています。人生も同じで、目的のない人生はありえません。時間の流れにおされて毎日毎日が過ぎていくように感じられたとしても、その旅には必ず通過点があり、それが日々更新されながら繰り返されていくのが人生です。

しかし、幸いなことに、私たちには、その通過点で未来を選択する自由がありま す。一時的に辛い時期があったとしても、やはり生きていてよかった、と思える瞬間があれば、先の見通しがついてさらに生きてみようという元気がでてくるものです。そのためには、どんなに小さなことであっても楽しみになる目的を未来に掲げることです。それは、あなたを豊かな未来へといざなう道しるべになります。「今日のランチは○○に行ってみよう」でもいいし、「今週末にはローカル線に乗って海辺の空気を吸ってみよう」でもいいし、「明日は、つぎの一小節だけ弾けるようになろう」でもいいのです。長期的なビジョンは必要ですが、すべては連続した時間なのですから、近い未来からの楽しみを積み重ねていくだけでも十分です。そして自分が幸せだと感じることが、他者の幸せにも通じることになります。

実は、最近の研究結果からいえば、人間には、ひとつの目的を設定すると、自分の意識としての自覚はなくても、周囲の状況の中から、その目的達成のために有利な条件を自動検索するような機能が脳に備わっていることがわかっています。つまり「思えば叶う」という状況が生まれるというわけです。一昔前までは、単なる精神論だとして片付けられていたことにも科学が説明できる時代になってきたのは興味深いことですね。

さて、あなたの今夜の楽しみは？　これを書いている私までわくわくしてきます。

皆既月食に学ぶ

みなさんは、皆既月食をごらんになったことがおありでしょうか。昨年（２０２２年）11月8日は、日本各地で見られましたが、次回、日本で見られるのは、２０２５年9月8日です。皆既月食とは、みなさんもご存知のように、月と太陽の間に地球が入るために、本来ならば、お盆のような満月が、地球の影にすっぽり入ってしまう現象です。しかし、光は波の性質をもっているので、ちょうど、防波堤のすきまからその内側に波が回り込んで入っていくように、地球の影の裏側にも光が回り込み、その光で、月の表面がうっすらと映し出されてしまいます。その光景は、まるで赤銅色の巨大な球体が天空に浮いている感じで、不気味な光景だともいえます。赤銅色になる理由は、地球表面の空気層を通る太陽光のなかで、波長の短い青色に近い光の成分は散乱されてしまい、月の表面の方に回り込む光は、赤色光が多くなるからです。夕焼けが赤くなるのと同じ理由です。

ところで、通常の満月は、太陽光が平行光として月面を照らすので、丸く輝く円盤に見えます。しかし、皆既月食の時の月は、地球表面から、回り込むように太陽光が月面を照らしますから、それは平行光ではなく、いろいろの角度から照らすことになり、その結果、立体的な球体に見えることになります。皆既月食の一番の見所です。人間も同じですね。一方向だけから見ているとのっぺらぼうに見えても、多角的に見るとその人のもち味が見えてくるのに似ていますね。それにしても、地球の直径の4分の1ほどもある巨大な球体が宇宙空間に浮かんでいる姿は不思議そのものです。

実は、浮かんでいるように見えますが、本当は、地球の引力にひかれて落ち続けているのです。地表面にそって石を投げると、その速度が大きくなるほど遠くまで飛んでいくでしょう。もし、投げる速度が秒速8㎞を超えると、空気の抵抗がなければ、地表面をぐるりと一周します。回転による遠心力と地球からの引力の大きさが打ち消しあってバランスするからです。人工衛星や宇宙ステーションがおよそ90分で地球を一周するのも同じ理由です。「落ちること」で「落ちない」ということです。

私たちの人生も、なんとか落ちないようにふんばってばかりいると疲れてしまいます。たまには、その日の風に身をまかせて動いてみることも必要です。ただ、目的に向かっての立ち位置は変えない努力は必要です。アインシュタインがこんなことを言っています。

「人生は自転車を漕いで走っているようなものだ。漕ぎ続けないと倒れてしまう」

まさに名言ですね。

第2章　心の風景と向き合う

沈黙の世界

最近、日常空間の中で失われてきた環境といえば静寂でしょう。もちろん、ものごとが存在している世界での物理的な静寂などというものは存在しませんが、存在として認知されるあらゆる現象には、それを生み出す母体があります。その源泉が沈黙です。かつて、オーストリアを訪れたときに、とあるカテドラル（聖堂）の入り口にこんな言葉が掲げてあったことを思い出します。

「LINGUA FUNDAMENTUM SANCTI SILENTII（言葉は聖なる沈黙に基づく）」

ところで、人類が動物と違って文明をつくりあげることができたのは、言葉の発明によって論理的思考ができるようになったからです。その背景には、直立二足歩行に移行することで、気道が直角になり、横隔膜が地面に対して水平になったことで、肺呼吸とは独立して微妙な音をだせるようになったことと、脊椎が地面に対して垂直に立ち上がったことで、重い脳をささえることができるようになったことがあります。そこで、AならばB、BならばC……というような論理的思考には、出発点として仮説となる言葉が必要になりますが、その言葉の源泉こそが沈黙の中から湧き出る情緒だと言われています。これは、すべての存在は独立存在ではなく、相互存在であるという認識に基づく感情です。その一方で、IT技術全盛の現代は、文脈から切り離された単語だけが、ピンポイントで瞬時に検索されてしまいますから、沈黙の中から湧き出る本来の言葉ではなくなってきています。

最近、電車に乗り合わせた乗客同士がとめどなく交わしている会話に登場する単語の数の少なさに衝撃を受けましたが、ウィーン生まれの哲学者ウィトゲンシュタイン（1889〜1951）の言葉「私の言語の限界は、私の世界の限界を意味する」が頭をよぎり、〝考えるためのツールとしての言葉〟の先行きが心配になります。思い返せば、この現代の危惧を今から半世紀以上も前の1952年に先取りしていたのが、アメリカの作曲家、J．ケージ（1912〜1992）による無音の音楽作品

「4分33秒」でした。ピアノの前に演奏者が4分33秒*だけ座って何も弾かないという作品です。聴衆は自分の心のなかで、周囲のかすかな息遣いを通して、自分だけの音楽を聴くという実験音楽でした。ただ、ひたすら座ることで、自然と自我との合一を目指す座禅での只管打坐（しかんたざ）や、静寂の中で茶釜がたてるかすかな音を松籟（しょうらい）と聞く茶道を思い起こします。

私たちも、ほんのひとときでも、日常の喧騒を離れ、心の奥から湧き出てくる本来の言葉を取り戻すことが豊かな未来へとつながるのかもしれません。

愛の中には言葉より多くの沈黙がある。

〝黙って！　あなたの言葉が聞こえるように〟　　M・ピカート

*これは、当時のSPレコード片面の再生時間に対応している。

宇宙のなぎさで

紀元前6世紀ころに、ギリシャで活躍した数学者であり哲学者でもあったピタゴラス（BC582?〜BC496?）は、万物の中には、数が内在しており、宇宙のすべては、数によって支配されているという思想を確立していました。そして、両端が固定された弦の長さの整数比から音階が作られることも発見していました。17世紀になると、ドイツの天文学者、ヨハネス・ケプラー（1571〜1630）は、同時代のチェコの偉大な天体観測家、ティコ・ブラーエ（1546〜1601）が残した惑星の運動についての膨大な観測データーから、それぞれの惑星が太陽に最も近づく近日点と最も離れた遠日点を通過するときの周回速度の比が、音階の振動数の比になっていることを発見しました。「ケプラーの法則」と呼ばれている法則からの帰結です。そこで、そこから惑星の動きも天空の音楽を奏でているということを主張しました。

さて、現代物理学の知見によれば、絶対静止状態は存在できないことがわかっています。これは、宇宙の中にあるすべての存在は移ろっているということで、仏教における〝諸行無常〟を思い起こさせます。たとえば、きれいに磨かれた凹凸のないガラス越しの景色は、そこにガラスがあることを忘れさせます。しかし、ガラスに凹凸があったり、表面に汚れがついていたりすると、そこにガラスがあることに気づきます。つまり、まったく一様で変化がない状態は認識されず非存在だということになります。

実は、私たちの宇宙も、まったく変化することのない状態、それゆえに認識することができない状態の中にふと起こったかすかな「ゆらぎ」が原因となって生まれたと考えられています。「無」からの宇宙創生という考え方で、その「ゆらぎ」は、今も、空のあらゆる方向から降りそそぐ電波として観測されています。「３Ｋ宇宙背景放射」といいます。電波は、テレビやラジオのように音に変換することができますから、それは宇宙の産声だということになります。同じ「ド」の音でも、楽器の形によって音の質が異なりますから、その産声を調べることで、初期の宇宙の形がわかるかもしれません。さらに、宇宙のすべてを形作る原子分子も振動していて電波をだしているのですから、宇宙全体が、音で満ちているということになります。みなさんも星降る夜には空を見上げて、宇宙創生138億年の歴史が、音をとおしてこの瞬間と触れ合っていることに思いを馳せてみてはいかがでしょう。

そして今、生きていることとの不思議とその奇跡に気づくことが、これから生きていくための活力になってくれるはずです。

聞こえますか？　天空から降ってくる宇宙138億年の光響曲。

時をつむぐ

これまで生きてきた人生の70%に相当する六十数年の間、私にしっかりと寄り添ってきた小物があります。ゼンマイ駆動の腕時計です。来る日も来る日も時を刻み続け、およそ20億秒に達しています。高価な宝飾時計でもなく、普通の時計ですが、壊れもせずに動き続けています。耳を近づけると、冬の夜空の星のまたたきを思い起こさせるようなやさしく美しい音がかすかに聞こえてきます。

さて、私たちが住んでいる3次元空間での物体の位置は、縦、横、高さという三つの長さできまりますが、その物体が変化する様子を測るには、長さとは異なる新しい四つ目の次元、つまり時間が必要です。しかし、時間は、東にも西にも進める空間とは違って、過去から未来へと一方向にしか進まないことから、空間とはまったく別次元のものだと考えられてきました。ところが、20世紀になって、秒速30㎞という猛烈な速度で太陽のまわりを公転している地球の上で、地球の進行方向に光を発射してみても、逆方向に発射してみても、地面に対する光の速度は変わらない、つまり光源の動きとは無関係に、光速は一定であるという驚くべき事実が発見されたのです。となると、時間の経過を、つねに一定速度をもつ光が進む距離で測ることが可能になります。毎秒30万㎞の速度で〝光が1秒間に走る30万㎞〟という長さの次元で1秒間という時間を測る、ということで、アインシュタインによって構築された相対性理論の考え方です。縦、横、高さをもつ空間距離と長さで測る時間をひとまとめにした4次元時空です。この時空では、3次元空間の中で静止しているように見えても、実は、時間は経過しているのですから、その空間全体は、時間の経過とともに、時間座標の方向に光速度で動いていることになります。つまり、物体は静止しているかに見えても、ただそこにあるだけでものすごいエネルギーを秘めていることになります。静止エネルギーです。また毎秒４００万トンわが身をけずってエネルギーに変えている太陽の熱源、つまり核融合反応とは質量（重さ）がエネルギー（E＝mc^2）に姿をかえているということなのです。

さらに、相対性理論によれば、動いている世界の時間は、静止している世界に比べておそくなり、光速になると、時間の流れが止まることが予見されていて、実験でも検証されています。

ということは、時間は実在せず、私たちの単なる幻想であって、確かに実在すると信じたい現在という一瞬を、ゼンマイ時計のゼンマイを巻くように、次から次へとつむぎ出すいとなみが人生なのかもしれません。

奇跡としての日常のなかで

かつて、同じ大学の教授として奉職していた知人のお宅で、十数年ともに暮らした飼い犬が命を全うしたときのこと、そのご家族の悲しみようの大きさに、教授は圧倒されたと聞かされたことがあります。その教授は哲学と宗教学の先生でしたが、ふと、自分が終焉を迎えたとき、家族はここまで嘆き悲しんでくれるだろうかと自問自答をくりかえし、その結果、今回の飼い犬の死ほど、嘆き悲しむことはないだろうと考えるにいたったのだそうです。なぜなら、自分は「今日の味噌汁は辛かった」とか「執筆中に、食事の呼び出しはしないでくれ」など、さんざん文句ばかり言ってきたが、飼い犬は、言葉をもたないゆえに、文句一つ言わずに、生活をともにしてくれた伴侶であり、だからこそ、その飼い犬との決別の悲しみは大きかったのだと気づかされたからだとのことでした。

私たちは、日々の生活のなかで、予測できなかった悲しみや喜びにであうことがあります。それらの情動が起こるのは、例外なく、これまで自分がおかれていた状況や環境に大きな変化があったときに限られます。その変化の落差が、それまで通常のこととして何事も感じなかった状況が、いかに有難いことだったかを思い知らせることになります。考えてみれば、私たちの日常は、いつ起こっても不思議ではない天体衝突という宇宙からの威嚇をはじめとして、自然災害や人為的な事故や核の問題に至るまで、あげれば枚挙にいとまがないほどの威嚇にさらされています。だからこそ、平穏な日常があることは、有りえないほどの奇跡に近いという意味で、「有難い」ことなのです。

さて、冒頭の飼い犬の話に戻りますが、最近の研究によれば、体重30グラムのハツカネズミから、30トンのザトウクジラまで、すべての哺乳動物が、一生のうちに打ち続ける心拍数は、およそ20億回だということがわかっています。犬はおよそ十数年で20億回を使い果たします。つまり、十数年間、生きたとすれば、天寿を全うしたことになります。

そこで、人間が感じている時間経過の感覚が、心拍周期の長さと関係があるらしいという最近の研究結果を、仮にではありますが、その飼い犬にもあてはめてみると、その犬自身は十分に生きたと感じているのかもしれません。時計で測った動物の寿命の長さを人間の寿命と比較して、長く生きなかったことを悲しむのは、人間の物差しで一方的に測ったからであって、「悲しまないでね」とその飼い犬は言っているのかもしれません。自然界の驚くべき公平さです。

自分の物差しで他を測らないという大切さ。

時間の効能

北海道の中央部、上士幌（かみしほろ）町の奥深い山中に、「糠平（ぬかびら）ダム」があります。その湖底に、ローマの水道橋にもなぞらえられるコンクリートアーチ橋が残っています。「タウシュベツ川橋梁」です。戦前から十勝北部の農産物や森林資源の搬出のために、帯広駅から終点十勝三股駅までの80㎞をつないでいた旧国鉄士幌線の遺構ですが、１９５５年、ダム建設のため、新線に切り替えられ、この橋梁は、ＪＲになることもなくダムの湖底に廃棄されることになりました。この地域は、トンネルを掘れば、永久凍土が表出し、蒸気機関車の廃熱で溶けて崩落するなどの事故が起こるほどの極寒地ですから、冬場のダムは70㎝ほどの厚い氷に覆われ、発電期になると、それに伴う放流で、氷と水が橋を削り取っていきます。それに加えて、コンクリートにしみ込んだ水分が、凍結膨張しますから、橋梁は外からと内からの凍害で朽ちていきます。そして、自然の力だけでしかつくり出せない造形美をつくりだしています。一年のうちの半分は水没しますが、水位が低くなる時期には、湖底に立つことができて、水に洗われて腐ることなく、真っ白にかがやく大木の切り株とともに、すばらしい景観を見せてくれます。この世で一番寂しいけれども、もっとも美しい景色です。とりわけ、星降る夜の光景は、まるで銀河鉄道の世界です。音のない音をたてて走る幻の列車が今にも走ってきそうな風景です。いうまでもなく、この美しさは、いきなりつくられるものではなく、時間が育ててきたものです。新しいピアノは弾き込まなければいい音がでません。茶器も使い込むことによって味わいがでてきます。

しかし、一方では、それは〝壊れる〟という終焉へと向かうプロセスの中にあります。人生についても同じで、生きるとは時間を創出する営みにほかならないのですから、その人の生き方が、その人がもつ深い味わいをつくることになります。私たちには誕生があり終焉がありますが、一人称の自分からみれば、自分の誕生も終焉も、他者の場合と同じような立場で体験することはできません。本人にとっての人生とは、初めもなく、終わりもなく、いつのまにか始まっていて、終わりのない永遠に向かってかたち造られていくひとつの作品のようなものだともいえるでしょう。かつて、宮沢賢治（1896〜1933）が、彼の思想の集大成として書き残している「農民芸術概論綱要」の最後に結論づけている言葉を思い起こします。

「永久の未完成これ完成である」

生きるとは、宇宙の営みの中で唯一無二の自分というかけがえのない作品をつくることなのです。

生きるとは、自分という作品をつくること。

キャンドルの不思議な世界

この季節になると、ふとキャンドルの光が恋しくなるのは、クリスマスやお正月の季節にキャンドルが点される機会が多いという幼少時からの記憶のせいでしょうか。無機質な存在でありながら、ゆらめくことで、まるで命を持っているかのように振る舞うキャンドルの光と向き合っていると、過ぎし日を想い、それはやがて、火とともに進化してきた人類の遠い記憶にまでさかのぼっていきます。火の発見は、闇夜を照らし、危険な猛獣から身を守り、体を温め、さらに、調理して食することを可能にしたことがその後の脳の発達を加速させ、その結果、この世とあの世をつなぐもの、清めるもの、煩悩を焼き尽くすものなどとして、宗教的儀式になくてはならないものにまで発展していきました。こうして、紀元前数世紀ころには、ミツバチの分泌物である蜜蠟や獣脂をつかったキャンドルが作られ、日本に入ってきたのは、奈良時代、中国からの蜜蠟キャンドルだったようです。

ところで、キャンドルには、炭素と水素からなるパラフィンの中に糸芯をいれた洋ローソクと、植物の蠟などからとった木蠟の中に、イグサ科の灯心草と和紙を束にして、中を空洞にした芯をうめこんだ和ローソクがあります。いずれも、芯に点火すると、その熱で本体が溶けて液体になり、それが毛細管現象で芯を伝わって気化し、炎の中で分解された炭素と水素は、それぞれ空気中の酸素と結合して、二酸化炭素と水になります。結合しきれなかった炭素の微粒子が炎で加熱されて光り、これが煤になります。水素のように燃えるときに一気に酸素と結合し水になってしまって、光らせるもとになる物質ができないと炎は目には見えません。一般的には、和ローソクの方が、芯が太いために炎の大きさが大きく、明るく、また芯が空洞になっているために、空気の流れが大きく、炎のゆらめきも大きくなります。この空気の流れは1㎤あたり1000兆個の1万倍ほどの空気の粒子（窒素や酸素の分子）がひしめき合っているなかで、自由に動きたいけれども、動けないという反対の性質が拮抗することで生じる独特のゆらぎ方をします。これは、星のまたたきや自然風の強弱変動と同じもので、自然界に多く見られる「１／ｆゆらぎ」です。これは、私たちが母親の胎内にいたころ、いつも聞いていた母親の心拍や血流の音のゆらぎのリズムと同じで、だからこそ、キャンドルの炎のゆらぎを見ていると、心が落ち着くのかもしれません。

お休み前のひととき、キャンドルに灯を点し、炎と対話することでいい夢がみられるかもしれません。

キャンドルのゆらめきに心模様を映して。

第3章　すべての学びは

アインシュタインの音

アインシュタインがただ一度だけ日本を訪れたのは1922年11月17日から12月29日までの43日間で、北は仙台、南は博多、日本全国で10回講演をしています。当時の新聞は、日本全体が世紀のスーパースターを、一目、見ようと各地の会場はごった返し、アインシュタインの口から紡ぎだされるドイツ語に、まるで音楽であるかのように耳を傾けたと報じています。

そして、アインシュタインは、休養日には、一人ヴァイオリンを奏でピアノを弾いていたといいます。そのときのピアノのひとつが、今、奈良ホテルに大切に保管されていて、アインシュタインが、奈良公園の散歩から戻り、ピアノに向かった1922年12月18日、16時から、ちょうど100年目の同じ日、同じ時刻に、そのピアノに触れる機会がありました。米国ハリントン社製のピアノです。今からおよそ120年前のピアノで、黄色く変色した象牙の白鍵盤、色あせた黒檀の黒鍵盤からでてくる音は、まるでチェンバロのよう、古くなつかしい華やかさとやさしさに満ちた不思議な音でした。アインシュタインが音楽を愛した背景には、音楽の中に宇宙的な調和を感じていたことがあるように思います。音楽は、時間の上に存在する芸術ですから、時間とは切っても切れない関係にあります。それにも拘わらず、聞く側にとって、時として時間の流れを喪失させてしまうことがあります。時間の流れを意識する心の作用が、音楽が流れる時間と同化してしまって、相対的に時間の流れが停止するのです。

この現象は、演奏家においても起こるようで、演奏家自身が、とても気分よく演奏できたと感じるときには、時の流れが止まると言っていた場面に何度か遭遇しています。これと似た状態は、瞑想しているときにふと訪れる宇宙とひとつになってしまったかのような感覚に陥ったときで、それらの類似性は、実際に脳波の測定で確認されています。おそらく、アインシュタインが音楽を演奏することを好んだ背景には、そういった宇宙との一体感への憧れがあったのではないか、というような気もしてきます。それは、来日中に、訪れた日本の神社仏閣や、自然と共生する日本の農家の日常が、すべて自然との一体感の中にあることにいたく感動したという記録からも読み取れます。

そして、１９２２年12月29日、門司港から帰国のための船に乗りこむ直前には、記者団にこういい残していいます。

「日本が西洋と出会う以前に本来もっていた生活の芸術化、個人に必要な謙虚さ、純粋で静かな心を保ってほしい。そして富国強兵には走らないでほしい」

アインシュタインは、心から日本を愛してくれた科学者だったのです。

科学の中の宗教性

「世界の中で最も理解できないことは、世界が理解できることである」という言葉を残したのは、現代宇宙論の基礎ともなっている相対性理論を構築したアインシュタインでした。この言葉ほど、宇宙の不思議さを端的に表現した言葉はないでしょう。高い塔の上から、物体を落とせば、その重さには関係なく、1秒後には、4・9（m）落下し、2秒後には、4.9×（2）×（2）＝19.6（m）、というように、落下時間のぴったり2乗に比例する距離だけ落下する不思議。また、電磁力や重力は、互いの間の距離が2倍離れれば、それらの間に働く力の強さは、ぴったり2の2乗分の1の1／4になり、3倍離れれば、ぴったり3の2乗分の1、つまり1／9になるということも不思議です。なぜそうなるのか、誰にもわかりませんが、客観的事実としての真理であることは間違いありません。となると、そこに人知を超えた創造主の存在を持ち出したくなります。それが宗教です。

しかし、アインシュタインは、西欧的な人格神としての神の存在は否定します。そのことを著作「わが世界観」の中で、宗教の3段階として語っています。その第1段階は、原始時代にあって、餓え、野獣、病気、死、自然災害などに対しての恐怖から、自分の姿と似た超越的存在を想定しその意思によって災害などが起こるとして、それを鎮めるための祈り、儀式として誕生する〝怖れの宗教〟で、第2段階は、指導や保護を求める社会的、倫理的な信賞必罰の神という概念を主体とするものです。そして第3段階は、この世界をつくっている自然法則そのものを実在する最高の真理とするもので、その中で、いかに人間は自然の一部として自然と共生しながら生きていくべきかを示唆する「宇宙的宗教」とでも呼べるものが理想形であるといっています。

17世紀、オランダの哲学者、スピノザ（1632〜1677）が唱えた汎神論に近い考え方です。それは一方では、万物は流転して留まることをせず（諸行無常）、しかも相互依存の存在（諸法無我）であるとする仏教思想に近く、後に「今の科学に欠けているものを補うことができる宗教があるとすれば、それは仏教である」と明言するにいたっています。それは、相対性理論が描き出す世界では、絶対時間の流れが規定できないことや、エネルギーと物質が見かけ上、相互に姿を変えるなど、観測者によって世界の様相が変わって見えることが、心のもちようで、世界の見え方が違ってくるという仏教の世界観に似ていると感じていたからなのかもしれません。

平和主義者としてのアインシュタインの一面が窺われます。

言葉と芸術

私たち人類が文明を構築し、それらを後世に伝えることができたのは、ほかの動物たちと違って、人類だけが、言葉を獲得してきたからだといわれています。つまり、四足歩行から二足歩行に直立することによって、喉近くの発音機構が変化し、さらに、頭から首にかけての気道が直角になったために、微妙な音がだせるようになったからだとも考えられています。言葉の発明は、ものごとを論理立てて考えることを可能にして、人類のあらゆる知的活動を支えてきました。

その一方で、高度に脳を発達させる過程で、もともと言葉では表現しきれない原初的感覚を情緒として発達させることによって、宗教、芸術などの世界も構築してきました。

ところで、最近になって、外出するたびに、〃大丈夫ですか〃という声をかけられる頻度が増えました。これは、自分では、なにごともなく歩いているつもりでも、以前にくらべて歩行速度もおそくなり、どこかおぼつかない足取りになっているからでしょう。そんな場面では、きまって〃大丈夫です〃と答えてしまいます。考えてみれば、これまでに、大丈夫ではなかった場合にも、〃大丈夫です〃と答えてきたように思います。これは、声をかけてくれた相手に心配をかけない配慮でもあるのですが、それだけではなく、言葉では表現しきれない何かがあるから、思わず発してしまうということもあるような気がしています。伝達手段としての言葉の限界を感じているからでしょう。しかし、その言葉を使って、真実を訴える言葉を紡ぐことができるのが詩人のすごさだともいえます。

この言葉の壁を超える表現手法の一つが、音楽や絵画などによる芸術表現です。これらの表現には、身体全体が関わりますから、その表現者本来のそのときの姿そのものが表出します。重度の認知症状をもっている高齢者が、すばらしい歌唱力をもっている場面にもよく遭遇します。

年齢を重ね、知的能力や運動能力の減退があっても、残った能力での自己表現を可能にするのは歌唱や楽器の演奏など音による芸術表現です。これは、人類進化の過程で、言葉よりもまず、音があったという事実に由来します。それは哺乳類として、母親の真っ暗な胎内で過ごしているとき、外界との唯一のコミュニケーションルートは、目には見えない音だったという記憶によるものかもしれません。とすれば、いつまでも元気でいるためのもっとも有効な方法は、音楽に親しむことかもしれません。そこに娯楽とは峻別される芸術の存在意義があるのでしょう。

強行突破は禁物

私たちをとりまくこの世界で起こるできごとのほとんどは因果関係の連続です。ということは、いいこと、悪いことを問わず、自分のちょっとした行動が、周囲に影響を及ぼし、今度は、その影響を自分も受けるという事態は容易に起こります。時には、ある時期を経て、突然、やってくることもあります。このようなことが偶然ではなく、因果関係として起こる事例を教えてくれる方程式があります。「ロジスティック方程式」といいます。ひとつの方程式にある数値を入れて計算し、その数値を再びその方程式に入れて計算し、その結果として得られた数値をさらにその方程式に入れて、というように計算して、順次、得られる数値の動きを見ると、不思議なことが見えてきます。あるとき、突如として、数値が、何の前触れもなく、大きく変化しはじめたりするのです。

たとえば、F（x）＝4x（1－x）という方程式で考えてみましょう。まずx＝0.75を入れてみましょう。F（0.75）＝4×0.75×（1－0.75）＝0.75ですから、新しく得られた0・75を元の方程式に入れてみても、つぎに得られる値は同じです。0・75がいつまでも続きます。それでは、x＝0.7として方程式に入れてみましょう。F（0.7）＝4×0.7×（1－0.7）＝0.84、つぎに今、得られた0・84を方程式に入れて計算するとF（0.84）＝4×0.84×（1－0.84）＝0.5376になります。つまり、xの値が0・75から0・7に変わっただけで、次にでてくる数値は、まったく予想がつかないものになってしまいます。それでは、いつまでも一定の値がでていたx＝0.75を少しだけ変えてx＝0.75001にしてみたらどうでしょうか。F（0.75001）＝4×0.75001×（1－0.75001）＝3.000004×0.24999＝0.7499979999996で、最初の0・75に近く、ほとんどかわりません。ところが、この操作を続けていくと12回目までは、0・75の近くにいますが、そこを過ぎると、突如0・66、0・89、0・38、0・94のように飛び回り、その後も収拾がつかないくらいに変動します。初期値が、０・75から０・００００１だけ変わっただけで、こんなことになってしまいます。これは、その時になってみないとわからない予想を超えた結果です。

実は、私たちの人生にも、これと同じように、あたかも因果関係がないように思われる事柄が突如、起こることがあります。それがいいことであればそのまま進めばいいのですが、悪いことであった場合は、落ち着いてその場で止まり、一つ前のステップに戻ることで、平穏を取り戻すことができます。

原則で言えば、強行突破は禁物です。数学の方程式が教えてくれる人生の歩き方指南のひとつです。

二項対立を超えて

睡眠時にみる夢って不思議ですね。夢の中での自分は、まぎれもなく自分そのものであり、夢の内容には潜在的な願望や現在かかえているストレスなどとも関連している場面もありますから、夢には現在の心模様のすべてが映し出されているのでしょう。その一方で、年齢を重ねていくと、たしかに現実だったと検証できる過去のできごとであっても、ふと、あれは夢だったのではないか、と感じる場面が多くなってきたように感じます。ということは、逆の見方をすれば、私たちが現実だと信じているものが本当に現実といえるのかどうかという疑問が起こってきます。目の前に真紅のバラがあるといっても、それがどういう真紅なのかを他者に伝えるすべはありません。人それぞれが、自分の意識で創り上げる色を現実だと思っているからです。

しかし、そのバラがそこにあるという現実と、それを見ている観察者がいるという客観的な関係性だけは、現実に存在するといえますから、夢のような現実、あるいは現実のような夢といっても、当の本人にとっては、ひとつの真実の両面だと考えてもいいのかもしれません。

つまり、現実と夢、是と否、生と死、美と醜などの二項対立は、人間の知が生み出した概念ですから、それらはただの「見せかけ」に過ぎないと考え、そのいずれをも肯定し、さらに、互いに譲り合うことで、互いの共通の利益をもたらす方向を模索することで解決に向かうということも可能になります。これは高校数学にでてくる因数分解の手順そのものです。よく知られているようにx^2-a^2は、$(x+a)\times(x-a)$のように因数分解できます。

では、x^2+a^2はどうでしょうか。すぐにはできません。そこで、x^2+a^2を$(x+a)^2$、すなわち$x^2+2ax+a^2$から$2ax$を引いたものに置き換えます。つまり$x^2+a^2=(x^2+2ax+a^2)-2ax$のように変形してみます。余分にたした$2ax$を後で引けば値は変わりませんね。たがいに譲歩するということです。すると、$x^2 + a^2 = (x + a)^2 - (2ax)$のように書き直せますが、ここで、$2ax = (\sqrt{2ax})^2$だと考えれば、$x^2 + a^2 = (x + a)^2 - (\sqrt{2ax})^2$となり、（　）の中を整理すれば、$(x + \sqrt{2ax} + a) \times (x - \sqrt{2ax} + a)$のように因数分解できます。このように、一見、共通項が見当たらなくても、互いにつけたしたり、けずったり、譲歩し合うことによって因数分解が可能になります。

ちょっとしたゆずりあいの中に、解決へのヒントがあるのです。数学が教えてくれる生き方の指南です。

決断には時期がある

子どもたちを対象にした宇宙についての講演会で、決まってでてくる質問があります。

〝宇宙人っていますか〟

答えは、

〝そうですね、いないとはいえませんね〟

ものごとの否定は肯定より難しいものです。否定するには、全宇宙を探し尽くして宇宙人はいないことを証明しなければなりません。肯定には、なにか、存在の手がかりになるものが一つでも見つかりさえすれば、それで十分です。

さて、ものごとの否定の否定は肯定です。〝学校に行かない〟、の否定は、〝学校に行く〟ですね。ところが、肯定の肯定は肯定であって、否定にならないのが不思議です。非対称の結果です。なぜでしょうか。いま、肯定をY、否定をNで表し、続けて行うことを×で表記することにしましょう。そして、肯定の否定は否定（Y×N＝N）、否定の否定は肯定（N×N＝Y）は正しいとしましょう。つぎに、肯定の肯定の否定（Y×Y×N）という関係を考えてみます。この関係を（Y×Y）×Nと書いたとき、もし、（Y×Y）＝Nであるならば（つまり肯定の肯定が否定）、（Y×Y）×N＝N×N＝Yになります。一方、Y×（Y×N）と書けば、（Y×N）＝Nですから、Y×（Y×N）＝Y×N＝Nになり、（Y×Y×N）は、肯定（Y）でもあり、否定（N）でもあるという矛盾に陥ってしまいます。この矛盾は、Y×Y＝Nと仮定したことが間違っていたために生じたのです。これは、ある命題の正しさを証明するには、その命題をひとまず否定して矛盾を導き出すことで、その命題の正しさを引き出す方法で〝背理法〟と呼ばれています。

この考え方は、日常生活で不満を感じたときなどの打開策として役立ちます。たとえば、〝会社をやめたい！〟と思ったとき、まず、一呼吸おいてから、「会社をやめた」と仮定して、その後のことを論理立てて考えることによって、やめるか、やめないかの正しい判断が可能になります。

かつて、経営の神様と呼ばれていた松下幸之助翁から聞かされた言葉がありまず。

〝物事の決断には時期がある。自らの心身の状態に少しでも不調を感じる時は避けなさい〟

当たり前のことのようにも思われますが、心が落ち着いていない時の衝動的判断は誤る恐れがある、ということでしょう。その衝動を鎮め、冷静さを取り戻して最良の判断へと導いてくれるのが背理法です。

そこで判断を下したら、すべての現状を肯定していくことが、肯定×肯定＝肯定なのですから、さらなる肯定の世界がひらけていくはずです。

演算の規則と平和への道

みなさんは、（－1）×（－1）＝1、つまり、マイナス×マイナスはプラスだと中学校数学で学んできたと思いますが、なぜ、そういうことになるのでしょうか。厳密な証明は、少しややこしくなりますので、ここでは、感覚的にお話しします。ひとことで言えば、否定の否定が肯定になるという理屈と同じです。そこで東西を結ぶ直線で、東をプラス方向だとすれば、西がマイナス方向です。無限に伸びる数直線の0を基点として、たとえば、右の方に、単位長さを伸ばしていくときには、その位置は、1、2、3……と続いていき、左の方に、単位長さを伸ばしていく場合には、-1、-2、-3……のように位置を決めていきます。極端な例であることを覚悟の上での話ですが、日常生活で、なにかを〝する〟をプラスとすれば、〝しない〟がマイナスです。収入をプラスとすれば支出がマイナスになります。現在を０として過去をマイナスときめれば、未来はプラスになります。毎日１００円ずつ収入があれば、３日間の合計は、（１００円／日）×３日＝３００円になりますが、毎日１００円ずつ使った場合、使う３日前にあった金額は（マイナス１００円／日）×（マイナス３日）＝３００円になります。

つまり（－）×（－）＝（＋）です。さらに、〝する〟を（＋）、〝しない〟を（－）、〝よいこと〟を（＋）、〝わるいこと〟を（－）であるとすれば、〝わるいこと（－）〟×〝しない（－）〟＝〝よいこと（＋）〟になります。このように、厳密にとはいえませんが、数学の原則が、日常の中に見え隠れしていることは興味深いことですね。

さて、日々の生活のなかで、同じものを見ても各人各様で感じ方は異なります。その結果、意見が食い違ってしまうことがあります。これは、各人は、自分独自の基準でものを見ていることに起因します。しかも、その基準すら時々刻々と変化しているのが現状です。これは算数でいえば、割り算の世界です。つまり、割り算とは、ある量の中に単位の大きさがいくつ入っているかを計算するものだからです。この単位の大きさが、ものを見る基準だと考えてみましょう。見られるものの大きさが4の場合、見る側の単位の基準が2であれば、見られる側の大きさは4÷2＝2ですし、見る側の基準が1／2であれば4÷（1/2）＝4×2＝8になって、見る側の基準が変われば、見られる数の大きさも違ってきます。

見方の基準が違えば、みんな違って見えるということですね。そんなときには、お互いが話し合って、互いの利益の共通項を模索しながら、少しずつ譲り合い、単位のすり合わせをするしかありません。平和の基本は、算数や数学が教えてくれる規則の中にもありそうですね。

超自然的存在

15～16世紀までのヨーロッパでは、宗教と科学は切り離せないもので、理性によって得られる知識と信仰によって得られる知識の間には隔たりはありませんでした。

しかし、ガリレオ、ニュートン（1642～1727）の時代になると、これまで、夜毎に規則正しく運行する星の動きを司るとされていた神の業は、万有引力の法則に置き換えられ、神の棲家は、それらの法則の支配者として奥に引っ込みます。19世紀になると、ダーウィン（1809～1882）の進化論がでてきて、科学は宗教（キリスト教）と真っ向から対立するようになります。さらに、20世紀になって、宇宙の膨張が確認され、宇宙そのものの定常性が崩れて、宇宙にも始まりがあり、そのときに時間も生まれたと考えられるに至って、時間の外にあるとされた神の存在がゆらいできます。

しかし、自然界が、同じ顔をした基本粒子たちの集合でできており、自然現象が、単純な法則で描けるという発見がなされると、なぜ、自然界が、そのように簡潔に描けるのかという根本問題に直面することになります。それは理解不可能な問題であり、その収拾策として、既存の宗教の神ではない超自然的存在をみとめざるを得なくなります。つまり、現代においては、既存の宗教と科学は、はっきり区別されていますが、両者には強い相互関係があり、生きる目的を定める宗教と、その目的を合理的に定める基盤を提供するものとしての科学という理解がされているようです。

ところで、キリスト教による科学の弾圧で有名なのが天動説、地動説をめぐる論争です。[1]宇宙の中心はないと主張したドミニコ会の司祭、ブルーノ（１５４８〜１６００）は、ローマ教皇庁の異端審問所で裁判にかけられ、主張の撤回を拒否したために、ローマ市内の花の広場で公開火刑に処せられ、ガリレオも地動説を支持していたために終身禁固の判決を受けています。

しかし、これらの事件をカトリックの負の遺産として、清算を訴えたのが教皇ヨハネ・パウロ2世（1920〜2005）で、ブルーノに対しての謝罪と判決撤回が行われたのは1979年、ガリレオに対しては1992年、彼らの死後、三百数十年以上も後のことでした。

さらに、教皇庁が公式に地動説を認めたのは、今から十数年前の2008年、ベネディクト16世（1927〜2022）のときです。こうして考えてみると、科学的探究は特殊な宗教的感情を引き起こすことがありますが、それは、狂信的宗教感情とは別物ですから、宗教と科学は矛盾するものではなく、かつて、アインシュタインが言っていたように、宗教性のない科学は不完全、科学性のない宗教は盲目だと言えるのかもしれません。

1　現代科学のセンスからいえば、天動説も地動説も、観測者の座標を変えればどちらも正しいということになります。

星空を見上げてみよう

２０２３年は、現在、使われている近代的なプラネタリウムの原型が作られてからちょうど１００年になります。

１９２３年、ドイツ、イェーナのカール・ツァイス社が製作したツァイスⅠ型が最初です[1]。日本での最初の設置は、１９３７年、現在の大阪市立科学館で、その翌年１９３８年には、有楽町にあった東日天文館に設置されました。いずれもツァイスⅡ型です。

１９４１年、太平洋戦争が勃発、翌１９４２年４月18日に東京初空襲、遠からず日本全土が焦土化するという危機感から、当時、宮沢賢治に傾倒していて、後に作家となられた国民学校（現小学校）の担任の先生に連れられて、はじめての星空投影を体験したのでした。国民学校2年のときです。そのプラネタリウムは、予想通り、後の空襲で灰燼に帰しましたが、そのときの感動が宇宙研究を生業にするきっかけのひとつになっています。

さて、人類が誕生して以来、人々は星空を仰ぎ、奇跡としか思えない完璧な規則性と美しさに、超自然的な創造主のイメージを重ねてきました。その一方では、それを見上げる人間の矮小さには愕然としていたようです。17世紀、フランスの哲学者、パスカル（1623〜1662）は、その著作「パンセ」の中で、「人間は自然のうちで最も弱い一茎の葦にすぎない。だが、それは考える葦である。宇宙が彼をおしつぶすには、ひと吹きの蒸気、ひとしずくの水で十分だが、人間は彼を殺すものよりいっそう高貴である。彼は自分が死ぬこと、宇宙が彼を超えていることを知っているが、宇宙はそれらを知らないからである[2]」と書き、人間の尊厳をとり戻そうとしました。

そして、その150年後、ドイツの哲学者カント（1724〜1804）は、代表作「実践理性批判」の結びにこのように書いています。「……熟考すればするほど、新たに高まってくる感嘆と畏敬で心が満たされる二つがある。わが上なる星空と、わが内なる道徳律である」[2]。この道徳律とは、人間の心に内在する純粋に善なるもので、他に目的をもたず、それ自体において善なるものを指しています。どんなに優れたリーダーであったとしても、それが戦争を起こすようなリーダーであっては困ります。しかし、どんな悪人であっても、目前に危機に瀕している子どもがいれば、理屈ぬきで助けるでしょう。カントが掲げる内なる道徳律です。無条件に互いに傷つけあうことなく生きるのが人間の本当の生き方だといっているのでしょう。私たちもたまには広大無辺な星空を見上げ、人間だけがもつ無条件の善意識について考えてみたいものです。

1　ハイデルベルクのバーデン天文台のウォルフ（1863〜1932）とドイツ博物館のミラー（1855〜1934）が製作を依頼した。
2　原文の訳ではなく、著者の要約。

少しだけ先の希望を

かつて、日本で最初のシンクタンクと言われた民間の研究所で仕事をしていたころの話です。国内外を問わず、スポーツや芸術などの長時間テレビ中継などが予想されはじめたことを受けて、長時間録画が可能なビデオデッキの開発が急がれていた１９８０年代初頭ころの話です。いわゆる録画方式をめぐるＶＨＳ対βマックス戦争です。結局、私の研究室で、二つの相矛盾する物理的性質を何とか融合させた新素材を開発し、長時間録画を可能にするＶＨＳの勝利が確定的になったその日の会議の後、ＶＨＳ陣営の技術統括のトップが、公用車で最寄の駅まで送ってくれたことがあります。それは、ドイツ製の高級車でしたが、走り始めると、そのトップは、こう口火をきりました。〃そこの灰皿をひきだしてみなさい〃。座席の背凭(もた)れの裏側についている灰皿のことです。硬からず柔らかからず、なんとも心地よいその感触。「これが技術というものです。クルマはエンジンだけが生命ではない。下の引き出しを押すと、上の引き出しがすっとでてくる箪笥職人の技術も同じです」と強調されたのでした。吹くと思えば吹かず、吹かずと思えば吹いてくる自然風を模した〝ゆらぎ扇風機〟の開発を思い立った日でもありました。

人間世界をふくめてこの宇宙は、対峙する真逆の性質の拮抗バランスの上に存在しています。正と負、明と暗、光と影、推進と制動、衝動と抑制、夢と現実などなど、しかし、それらは、振り子が静かに左右にゆれているように、互いに入れ替わることでバランスをとりながら存在しています。月が地球のまわりを周回しているのは、月が地球の重力に向かって落ち続けているということで、周回によって生じる遠心力の大きさが重力の方向と反対向きで、釣り合っているからです。自然の美しさも、美と醜の拮抗の中にあります。それらの対極概念を超えた次元にまで思考を高めていった先にあるのが日本の美意識、わび、さびの特徴です。

藤原定家（１１６２〜１２４１）の有名な短歌に、「見渡せば花も紅葉もなかりけり浦の苫屋の秋の夕暮れ」というのがありますが、花も紅葉もない、と意識している裏には、花や紅葉を頭の中に描いているわけで、見えないものの中に見ているということです。人間も宇宙のカケラなのですから人生も同じです。どんな苦境の中にあっても、必ず、それと拮抗する脱出への道が含まれています。それを感じとれさえすれば、いかなる困難でも乗りこえられるはずです。そのためには、少しだけ先に、たとえ小さなものであっても希望を掲げることです。

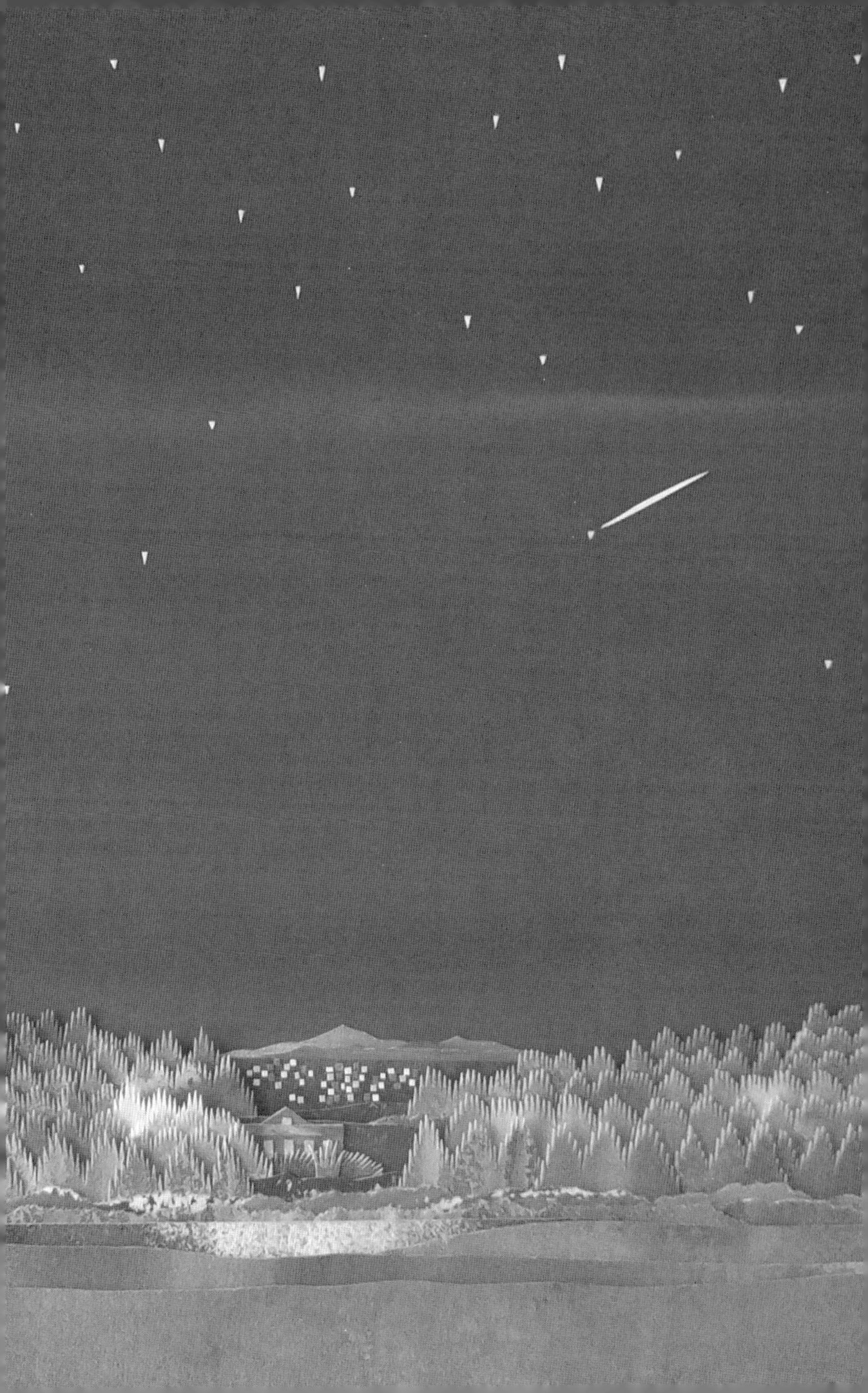

第4章　遠い世界から

〝88〟に魅せられて

88歳になってみると、頭のどこかで、〝88〟という数字が気になりはじめます。自然科学を生業としてきた私にとっても、どこか8という数字に親しみをもってしまうのは、8を横に倒すと、「無限大」の記号になってしまうからなのかもしれません。もともと、無限大を「∞」という記号で表した最初の人は、イングランドの数学者、ジョン・ウォリス（1616〜1703）だといわれていて、彼の著作「無限の算術」の中に、1／∞＝0、1／0＝∞と書かれた箇所があり、0を二つつけて無限大の数字にしたという説がありますが、はっきりしたことはわかりません。

一方、私はといえば、「∞」をみると、ドイツ生まれの数学者、アウグスト・メビウス（1790〜1868）が発見したと伝えられる「メビウスの帯」を思い浮かべます。メビウスの帯とは、リボンの一方の端を１８０度ひねって、もうひとつの端にはりつけたもので、表と裏の区別がつかないという奇妙な特徴をもつ二次元世界です。たとえば、透明なメビウスの帯をつくって、そこに〝>〟と書いて1周させて元の位置に戻ると、ちょうど鏡に映したように反転して〝<〟のようになります。つまり、表と裏がつながっていて、エンドレスになっている不思議な世界です。実際、以前、使われていたエンドレスのカセットテープや、プリンターのインクリボンなどに応用されていました。

さて、日常世界では、立春から数えて88日目の「八十八夜」があります。これは、新暦の5月1日、2日あたりになり、手摘みのお茶が一番おいしいとされるおなじみの「八十八夜の新茶」の時期です。

田植えなどの農作業を始める指標になる時期でもあります。また、八十八ケ所の霊場めぐりもありますが、いずれも漢字で書く「八」が末広がりで縁起がよく、日本の食生活に欠かせないお米の「米」が「八十八」と読めるので、「めでたさ」の象徴になったようです。

さらに、現代の標準的なピアノの鍵盤数も88ですが、１７２０年ころ、はじめてつくられたピアノの鍵盤数は54で、ベートーベンの時代になると、弦の張力を支える鉄骨技術が進歩して78になり、現代は、人が音の高い低いを聞き分けられる限界の音として27・５ヘルツから４１８６ヘルツまでをカバーする88鍵になったようです。それと、指一本分の幅の鍵盤を88個ならべると、ちょうど両手を広げたくらいの幅になるということとも関連があるのかもしれません。

また、なぜか星座の数も88ですが、これは、数千年前のメソポタミア時代からコロンブス、マゼランたちの大航海時代にかけての星座数が２００を超えてしまったので、１９２８年に国際天文学連合がのりだし、今の88にまとめたようです。なぜ88だったのかその理由はわかりません。それならば、夜空を見上げて、あなたご自身の89番目の星座をつくってみるのもいいかもしれませんね。

小鳥が一つずつ
音をくわえて　とまった木

その木を
ソナチネの木　という

（岸田衿子「ソナチネの木」より）

第４章　遠い世界から

見えないつながり

私たちは、ほかの動物たちと違って、自らの一生が有限であることを知っています。人間だけが「考える」能力、すなわち、未来予測ができるからです。そのことへの怖れが、宗教、科学、哲学、芸術など、あらゆる地球文明を生み出すきっかけになってきたともいえます。その一方で、人々は、悠久の天空を見上げ、そこに有限の対極にある無限の時間、すなわち永遠の世界があるのではないかと強い憧れを抱くようになりました。たしかに、冬の季節、夜半には、天高くおうし座の散開星団、プレアデス（和名では「すばる」）が夢見るような淡いブルーの衣装をまとって輝いていますが、これは、1000年以上も前に、清少納言が、代表作「枕草子」第236段（三巻本）の中で、「星はすばる……」と愛でた星そのものであり、人間の一生に比べれば、星は永遠に変わることなく輝き続けているようにも思われます。

しかし、現代科学によれば、〝すばる〟は6000万年ほど前に生まれた比較的若い星たちで、いずれは、宇宙の霧になって消滅することがわかっています。また、私たちの地球も、50億年以内には、膨張する太陽に呑み込まれ、消滅することが予見されていて、その地球最後の姿のお手本が、夏の夜空をかざること座のヴェガの近くに見えるM57とよばれる惑星状星雲です。星にも誕生と終焉があるということです。さらには、宇宙自体も膨張していることがわかっていますから、時間を戻せば最初があったことになります。となると、この世界には永遠など存在しないということなのでしょうか。

しかし、今、住んでいる世界よりも高次元の世界があったとしたらどうでしょう。たとえば、2次元の平面世界の住人にとっては、縦、横の感覚しかありませんから、高さをもつ3次元の立体を感知することはできません。今、その2次元世界を、3次元の球体が通過するとします。球体が平面に接触した瞬間に、平面には突如、点が出現したようにみえます。球体が通過するにつれて球体が切り取る円形の世界が現れ、しだいに大きくなって、再び小さくなり、最後は点になって、球体が通過した後は、なにごともなかったかのように元の何もない状態に戻っています。無から生まれ、無に帰する宇宙の姿です。この場合、2次元世界の人にとっては、目には見えない球体こそが永遠だと思うかもしれません。見えない高次元の世界との接触によって現実が出現しているということです。

ということは、今私たちが住んでいるこの現実も、目には見えない永遠とのつながりの中で、見えているのかもしれません。

今、あなたは、気づかないうちに永遠にふれているのかもしれません……。

もし明日世界が終わるとしても

私たちの世界は、めまぐるしく変化しています。しかし、変わることの中に変わることのない法則性があるとすれば、そこに永遠があるといっては言い過ぎでしょうか。ビリヤード（玉突き）の球の軌跡を考えてみます。テーブルの側面に対して角度θで打ち出された球は、別の側面に衝突すると、そのときの入射角と同じ反射角をつくる方向に進路を変えて進みます。そのときのｔａｎθが有理数の場合は、何度かの衝突を繰り返した後、必ず元の出発点に戻ります。たとえば、θが$45°$（ｔａｎ$45°=1$）などの場合です。これは、いつかは元に戻るという意味で回帰的永遠だともいえます。

しかし、角度が$60°$の場合はｔａｎθは$\sqrt{3}$（＝１・７３２０５０８……）、つまり

無理数となり、その場合は、球は、二度と同じ場所を通ることはなく、永遠に、テーブルのすべての領域をうめつくすように動きますが、すべてをうめつくすことはできません。無理数の中には永遠が潜んでいるようです。さらに、完全な円は、円周率πという無理数を含むゆえに永遠の完全性の象徴になりうるのかもしれません。

ところで、自然界には、部分の中に全体が反映され、全体の中にも部分が反映されているという自己相似性、「フラクタル」と呼ばれている性質が内在していますす。たとえば、樹木の形の基本は、大きい枝から小さい枝、さらに葉脈にいたるまで、すべてY字形の分岐の連鎖でできています。私たちの肺の中の血管も同じです。月面を望遠鏡で見るときに、倍率をかえても、大きいクレーターから小さいクレーターまでの分布の様子は同じように見えます。空間の中に見られるフラクタル性です。さらに、時間に関していえば、静かにリラックスしているときの私たちの心拍は、速くなったり遅くなったりゆらいでいますが、その変動のパターンは、時間の長さには関係なく、たとえば、3分間のなかにも1時間の変動と同じパターンが含まれています。これらの事実から、時間の流れの中にもフラクタル性があると考えれば、移ろいゆく有限の時間の中に、永遠が投影されているような気がしてきます。考えてみれば、私たちが実体として感じている時間は、今という瞬間だけです。しかし、記憶としての過去と、期待としての未来も、その今の中で感じています。とすれば、今日が最後の日であってもいいと考えて一日を生ききることの中に永遠があるような気もしてきます。出典には諸説あって確定できませんが、ふと思い起こす一文があります。

「もし、明日世界が終わるとしても、今日私はリンゴの木を植えるだろう」

人生は一瞬と交差する永遠の中に？

永遠を感受する

きれいに整理しておいたはずの机の上も、気がつけば、乱雑になっています。香水のビンのふたを開けておけば、いつのまにか部屋中に広がってふたたびビンの中に戻ることはありません。時間の経過とは、ものごとの規則性がくずれて乱雑になっていくことのようです[1]。そして、私たちはその光景から過ぎさる時間を感覚として感じています。この過去から未来へという時間の流れの一方向性は宇宙の膨張とも関わっているようです。

では、どうして、ものごとはデタラメになる方向に進むのでしょうか。それは、整然とまとまった状態よりも、デタラメになる確率の方が数学的に大きいからです。たとえば、ひとつの部屋を半分に仕切って、左半分に同じような粒子A、B、

C、Dが閉じ込められているとします。その状態が起こる場合の数は1通りしかありません。ところが、仕切りをとり全体を広げて、左半分に3個、右半分に1個の粒子がいる場合の数は、右半分に入る粒子がA、B、C、Dのいずれかですから4通りあります。[2]さらに、左半分に2個、右半分に2個入る場合の数は6通りで[3]粒子が全体に広がる確率はより大きくなっています。あなたが自宅にいる確率よりも、日本の中のどこかにいるという確率の方が大きいという状況に似ていますね。

ところで、私たちは、生体として五感を働かせ、周りからの情報を取り入れながら生きています。ところが、知ることは、その先にある未知の領域をさらに拡大させ不確実さを生み出すことにもなります。[4]たとえば、相手の気持ちを確かめようとする行動が、かえって相手の気持ちに影響を与えて不確実にするように。つまり、生きていること自体が不確定領域を増大させることであり、そのことが時間を創出し、その進む方向をつくりだしているということになります。となると、時間あっての永遠という概念があるのですから、日々の暮らしの一瞬一瞬が、永遠そのものに触れているということにもなります。極論すれば私たちは日々、永遠を生きているということにもなります。私たちを含めすべての存在は、一粒の光から生まれたのですから独立存在ではなく、相互依存の存在です。それは、最先端の量子力学が予見し、現在では検証されている「量子もつれ」[5]とも関連していて、すべての現象は、宇宙の果てまでつながっていることを示唆しています。

ロシアの作家、V．ナボコフ（1899～1977）は「人生とは真っ暗なふたつの永遠の中で、ひととき煌く光である」といいましたが、そのひとときの煌きこそ、永遠の煌きだといえるのではないでしょうか。

永遠とは、現実の中にただよう〝おもかげ〟なのかもしれません。

1　物理学用語でいえば、エントロピーの増大です。

2　左／右それぞれに、BCD／A、CDA／B、DAB／C、ABC／Dの4通りです。

3　左／右それぞれに、AB／CD、AC／BD、AD／BC、BC／AB、BD／AC、CD／AB の6通りです。

4　現代物理学を支える最も重要な基本法則であるハイゼンベルクの不確定性原理です。

5　2022年、ノーベル物理学賞受賞テーマになりました。

宇宙に隣人を求めて

古代ギリシャの哲学者、ソクラテス（BC469〜BC399）の名言……「汝自身を知れ（nosce te ipsum）」を待つまでもなく、一番、わからない存在が自分自身です。自分の顔を見たいと思っても、鏡に映る姿は左右反対で、写真で見る顔は、色や濃淡の変化として描かれた平面図形でしかありません。実は、今から60年ほどの昔、はじめてのテープレコーダーが売り出された頃、早速、大枚をはたいて購入、真っ先に録音したのは、自分の声でした。期待に胸をふくらませ、再生ボタンをおすと、そこから流れてきたのは、自分が思っていたものとは似ても似つかぬ声で、愕然とした思い出があります。いつも、自分の声だと思っていた声が、骨伝導で聴いている声だということに気づかされた衝撃的な出来ごとでした。

さて、人類始まって以来、絶えることなく続いてきた戦争、現代でも、国内外情勢を含めて例外ではないこの悲劇は、なぜ起こるのでしょうか。そして、なぜ、止めることができないのでしょうか。これは、宇宙全体の生命体がもつ特性なのでしょうか。それとも地球人類だけの特性なのでしょうか。地球人類という人類しか知らない私たちにとって、最大の難問です。

その一方で、科学の進歩は、生命の本質へと迫り、それらが、宇宙に遍在している物質からできていることをつきとめ、しかも太陽系の外に、惑星をもつ恒星が多数発見されるにいたって、地球外知的生命体の存在を確信できるようになってきました。そこで、アメリカの天文学者、ドレイク博士（１９３０〜２０２２）たちによって挑戦がはじまりました。１９６０年代のことです。まずは、全天から降ってくる電波の中に、異星人からの信号がないかどうかの探査、そして、地球からの情報発信などです。そして、もし、コンタクトに成功したら、それは、ＥＴ文明が、滅亡することなく続いていることの証になりますから、そこから戦争を回避できる智慧が獲得できるかもしれないという思いをつのらせて、現在まで続いています。「地球外知的文明探査（Search for Extraterrestrial Intelligence）」です。英文表記の中の文字を組み合わせてＳＥＴＩ計画といいます。また、Extra-Terrestrial から宇宙人のことをＥＴと呼ぶようにもなりました。今も、私たちが気づかないうちに、ＥＴからの電波手紙が頬のよこをかすめているかもしれません。

ＳＥＴＩのパイオニアの一人ともいわれるアメリカのモリソン博士（１９１５〜２００５）の言葉が心にしみます。「この探査が成功する確率を予測するのは難しいが、もし、探査をしなければ成功の確率は０だ」

みなさんも、晴れた日の夜には、星空を見上げて、はるか彼方にいるはずの隣人に思いを馳せてみたらいかがでしょうか。

待つことは　航海よりもながいもの
てのひらに　貝がらの数だけ
昨日を　ねむらせて
舟が見えてくるのを　待つことは

（岸田衿子「ソナチネの木」より）

人間の体型

地球は、太陽系の第３惑星として、すべてのエネルギーの源を太陽に依存しながら、太陽の引力に支えられて、宇宙空間を旅している小さな天体です。おおまかな位置関係は、たとえば、太陽を直径１ｍのバランスボールだとすれば、地球は、そこから１００ｍ離れたところにある直径１㎝の小さなビー玉です。地球のまわりを周回している月は、地球から２・５㎝離れたところにある直径３㎜に満たない小さな砂粒です。太陽系の中で一番大きい木星は、夏ミカンくらいの大きさで、太陽からの距離は５００ｍほどです。太陽系最果ての惑星、海王星は、ピンポン玉くらいの大きさで、太陽からの距離は３０００ｍです。

さらに、太陽系に一番近い恒星はケンタウルス座のα星で、太陽からの距離はおよそ4・4光年で、この縮尺では、太陽から2万6000㎞、実際の地球の直径のおよそ2倍に相当する距離にあるもうひとつのバランスボールです。こうして考えてみると、地球が、いかに孤独な星であるか、想像がつきますね。その小さなビー玉の上に生息しているのが、私たち地球人類です。つまり、私たちを含めて、地球上での出来事のすべては、太陽との関係において、生起していることになります。その一つが、人間の体型です。大きさはおよそ、身長2ｍ前後で、胴体の太さの半分くらいの大きさの二本足で立ち、体重も100キログラム前後です。実は、このような体型の基本となる骨格や臓器の構造は、四つの要因からつくられたと考えられています。

①　太陽のエネルギー放出量（5.5×10^{27}cal／分）と重さ（正確には質量）が現在のような値（2×10^{30}キログラム）であること、

②　太陽と地球との距離が、現在あるような距離（1億5000万㎞）であること、

③　地球の大きさが、現在あるような大きさ（直径およそ1万3000㎞）であ

ること、

④　地球の重さ（質量）が、現在あるような大きさ（6 ×10^{24}キログラム）であること、の四つです。

①と②は、現在の地球表面の気温を決める要素です。現在よりも熱すぎても寒すぎても、適温の空気が存在できませんから、現在の人体の構造での生存は不可能です。

③、④は、地球表面の重力の強さを決める要素です。重力が小さければ、地表面の空気を引き止めることができず、大きければ、骨格の強度を強めるために、特別な構造が必要になりますし、自由な移動が難しくなるので、球体に近い構造になっていたでしょう。このように、私たちは、知らず知らずのうちに、宇宙環境によってつくられ、環境としての宇宙とのバランスの中で、生存しています。

夜と昼を繰り返しながら、季節の絵巻を描き続ける日々のなかで、少し立ち止まって、日の光を受け止めながら、持続可能な未来に想いを馳せてみたらどうでしょうか。

両掌(モロテ)ソロヘテ日ノ光、
掬(スク)フ心ゾアハレナル。
掬ヘド掬ヘド日ノ光、
光リコボルル、音モナク。

（北原白秋「白金之独楽」より〝日光四章一〟）

銀河文明への手紙

アメリカ航空宇宙局ＮＡＳＡが、太陽系・外惑星探査を目的として打ち上げた宇宙探査機、ボイジャー１号、２号が打ち上げられてから46年になります。両機は、木星、土星、天王星、海王星などに最接近して、天文学者たちの想像を超える多くの発見をした後、１号は、２０１２年８月に、２号は２０１８年11月に太陽圏を離脱して、未知の宇宙への一人旅を続けています。１号の現在位置は、地球から２３８億km、２号は１９９億km（２０２３年５月時点）で、光の速さで、それぞれ22時間半、18時間半もかかるほどの距離です。たとえていえば、仮に太陽を直径１ｍのバランスボールだとすれば、地球は、そこから１００ｍ離れたところにある直径１cmのビー玉、この縮尺でいえば、ボイジャー１号は、地球から15・９km、２号は、

13・3㎞も離れたところにいるウイルスの1／10の大きさだということになります。

ところで、この姉妹機は、ほかの探査機にはない特別な使命を背負っています。45億年以内の未来に、もし、地球外知的生命、ETに出会うことになったとき、地球文明を記した音と映像の手紙を届けるということです。ゴールデンレコードです。これは、さし渡し178㎝、高さ47㎝、タタミ2畳敷きくらいの12角形をしたボイジャーの本体の側面に取り付けられています。そして、そのカバーには、銀河系の中の地球の位置を示す数学的な図形などが描かれ、表面には、時間とともに放射能が減衰する性質で時計の役割を担うウラニウム238が塗られていて、この探査機がいつ、どこからやってきたのかがわかるようになっています。このボイジャーの心臓部の上に、人間でいえば、聴覚と発語器官に相当する直径3・7ｍの送受信用パラボラアンテナ、本体から2・5ｍ伸びたアームには、分光器、荷電粒子検出器などの測定器がぎっしり並んでいて、その先端には、ボイジャーの視覚としての役割を担う2台のカメラがついています。その反対側には、私たちの皮膚感覚に相当する長さ13ｍの磁力計がついています。全体の重量は721・9キログラムです。

さて、そのゴールデンレコードの冒頭には、当時のアメリカ第39代大統領カーター氏のメッセージが入っています。「これは小さな遠い世界からの贈り物です。私たちの音、科学、画像、音楽、思考、感情を表したものです。私たちは、いつの日にか現在直面している課題を解消し、銀河文明の一員となることを願っています……」。それに続いて、日本語での「こんにちは、お元気ですか」を含めた世界55ケ国の言葉での挨拶、尺八の古典曲「鶴の巣籠」やバッハの音楽などが収められています。地球人類の進化から考えて、音と数学的論理こそが、宇宙の共通言語であるという立場からの発想です。そして、宇宙の隣人に出会えたとき、恥ずかしくない地球人でありたいと切に願うばかりです。

世界がぜんたい幸福にならないうちは個人の幸福はあり得ない……

正しく強く生きるとは銀河系を自らの中に意識してこれに応じて行くことである

（宮沢賢治「農民芸術概論綱要」より）

青く、小さな点

１９７７年９月５日、８時56分、アメリカ・フロリダ州のケープカナベラル空軍基地のＬＣ41発射台から打ち上げられたＮＡＳＡの太陽系・外惑星探査機、ボイジャー１号は、私たち人類が、直接でかけて見ることができない場所に行って、その様子を私たちに伝えてくれる人類の感覚器官の延長としての役割を担っていました。地球からの指令は、「もっと近くに」だったボイジャー１号に、信じられない声が届いたのは１９９０年２月14日のことでした。

「ママの方を振り返って、そしてシャッターを切って」

思わず振り向いたボイジャーの目には、太陽がまぶしかったでしょう。実は、ＮＡＳＡでは、そこから見る太陽は、今、夜空で一番明るく輝いているシリウスの数百万倍の明るさでしたから、太陽にカメラを向けることは、カメラを損傷する恐れがあるとして二の足を踏んでいたのです。しかし、宇宙の中での地球の位置づけを地球人類に知ってもらうためには二度とないチャンスだということで強行されたのでした。その指揮をとったのは、若き女性の研究者キャンディー・ハンセン博士でした。そして撮られた39枚の写真の中に、漆黒の闇のなかで、針のさきほどに青く光っている地球がありました。それを見たボイジャー計画の推進者の一人、カール・セーガン博士（１９３４～１９９６）が机を叩きながら言った言葉が忘れられません。

「諸君、見給え、あのペイル・ブルー・ドットを。あの点はここなんだ。あそこで、人類の存続の危機が起こったとしても、救援の手がさしのべられる気配はゼロじゃないか」

その時のボイジャーの位置は、地球から64億㎞、光の速度で４時間、この写真は、太陽の大きさを直径１ｍのバランスボールだとすれば、そこから４・３㎞も離れたところから直径１㎝の地球を捉えたことになります。現代のスマートフォンの

1／7000の処理能力しかもたないボイジャーのコンピューターで撮影できたことは驚愕に値します。

現在、NASAの管制室では、リモートでそのコンピューターのバージョンアップを行っています。ボイジャーは今も学び続けているのです。

ボイジャー1号は、現在、地球から光で21時間かかる238億kmの地点を時速6万1000kmで航行中です。さきほどの縮尺でいえば、1cmの地球から15・9km先にいるウィルスの1／10の大きさです。視力は失われていますが、聴覚は健在で、2020年暮れには、静かに降り続く霧雨のような星風の音を送ってきました。もし視力が生きていて、今、振り返ったら、オリオン座の下、うさぎ座の耳の近くにかすかに光る太陽が見えるでしょう。しかし、地球の姿は宇宙の闇にとけこんで見えません。今夜、晴れていたら、蛇使い座あたりにいるはずのボイジャー1号に、声をかけてみたらどうでしょう。

〝45億年の未来に向けて、ボン・ヴォヤージュ！〟

さがしにゆく
絵の中から　絵の外へ
まっすぐのびていた道を
峠の向うがわへ　とばした風船を

（岸田衿子「ソナチネの木」より）

現象としての私たち

――わたくしといふ現象は／仮定された有機交流電燈の／ひとつの青い照明です／（あらゆる透明な幽霊の複合体）／風景やみんなといつしよに／せはしくせはしく明滅しながら／いかにもたしかにともりつづける／因果交流電燈の／ひとつの青い照明です／（ひかりはたもち　その電燈は失はれ）――

これは、宮沢賢治が、終生ただ一冊の詩集として１９２４年に世にだした「春と修羅」の序文です。今、あらためて読んでみると、およそ１００年も前に、現代の世界観、人間観を先取りしていることに驚かされます。私たちは、自分は自分であって、他のなにものでもないという確信のもとに日々生きています。ところが、私たちの体は、他のすべての物質とおなじように、宇宙誕生によって形成された原子分子の集合体であり、その組み合わせのわずかな違いが個人をつくっています。しかも、体の内側は呼吸という作用で外側とつながっており、食物連鎖で生命を保っています。地球上のすべての生き物は、同じ空気を吸い、吐いているのですから、私たちが、一呼吸で吸い込む空気の分子（窒素や酸素）の中には、地上のあらゆる生命体の中を通過してきた分子が含まれているでしょう。細胞レベルで考えれば、それはたえず生成消滅していて、確固たる〝存在〟というより〝現象〟だといったほうがしっくりくるような気がします。いいかえれば、数かぎりない目には見えない透明な幽霊の複合体のような因果関係でつながっているだけなのに、自分は自分であると感じ続けている確かな自意識をもった私として〝現象している〟青い照明だというのです。おそらく、この〝青さ〟とは、人間が他の動物と違って、自らの終焉を予測できることから生じる永遠世界への憧れの色であり、その神秘的な色合いは静かな希望への象徴でもあります。その心情は、はるかなる昔、私たちの祖先が見上げたどこまでも深く続く蒼穹（そうきゅう）の青さだったかもしれません。

さらに、その青さは、世界を構成する要素の相互依存関係を表すとされる華厳経のインドラの網[*]が放つ青い光を思い起こさせます。網の結び目にある無数の珠玉は互いに他を映しあい、世界全体が映し出されているというものです。つまり、〝わたくし〟の中には、世界のすべてが映し出されており、そこに〝現象としての〟生の存在意義があるということなのでしょう。日々の生活のなかで、自分を見失いかけたとき、どんなにささいなことであっても、他者に微笑みかけることができさえすれば、それが連鎖となってインドラの網を照らし、明るみへの道しるべになるはずです。

＊帝釈天の宮殿にかけられた巨大な球状の網で、結び目には美しい水晶玉が縫いこまれ、水晶玉のそれぞれが、他のすべての玉を映しこんでいるので、ひとつの水晶玉に宇宙のすべてがおさまっている。

体験を経験に

最近、天文学専攻の学生やアマチュア天文家と話していて、気になることがあります。見上げる星空に対しての感受性が、以前にくらべてクールになっていて、畏敬の念や神秘性への驚きのような感情が薄れてきているように見受けられるのです。

現代の天文学は、コンピューターサイエンスの様相が強く、コンピューターの画面上でのシミュレーション研究も多く、望遠鏡越しに直接、天体を眺めるというより、画像処理した後で精査するといったような方向にシフトしてきているせいかもしれません。かつては、望遠鏡にしがみついて、レンズ越しにやってくる星の光は、まぎれもなく遠い過去にその星を旅立った光が観測者の網膜に到達したのだというある種の感動がありました。それが、現代では、望遠鏡の近くに観測者がいると、その体温で観測環境が影響を受けるという理由で、遠隔操作の観測になってきています。

一方、アマチュアは、雑誌の星景写真で賞をとることが第一目的になり、夜露でしっとりと頭髪が濡れていく感覚などには気づきません。宇宙のヒトカケラとして意識の喪失です。もちろん、近年のデジタル技術を駆使した観測は、めざましい勢いで宇宙の神秘を解き明かしてきましたが、皮膚感覚としての宇宙感覚は薄れてきています。計算も、紙とエンピツで行うか、電卓で行うかによって、でてくる成果との向き合い方が違ってきますし、これはページをめくりながら言葉を探す辞書と、ワンタッチの電子辞書との関係でも同じです。ここでは、計算する、意味を調べるという行為は単なる体験に留まってしまい、それが熟成されて経験にまで昇華することはありません。

「星の王子さま」の作者、サン・テグジュペリ（1900〜1944）が、処女作「南方郵便機」の冒頭で「水のように澄んだ空が星を漬し、星を現像していた」と述べているように、昼間の星は見えません。しかし、見えないからといってないわけではなく、私たちの瞳の大きさが小さいために、星からの弱い光は、昼間の明るさに負けてしまって感知できないだけです。そこで、望遠鏡の大きなレンズで掬い取れば見えるのですが、それを望遠鏡で撮影した動画を見せても、感動する人は少ないのが現実です。しかし、実際に望遠鏡越しに見せると、例外なく驚きの声を上げます。そして、この体験があると、動画を見ても、そのときの驚きがよみがえることになります。これが経験です。

人型ロボットの誕生も間近な昨今、本来の人間であり続けるために、あらゆる五感を身体感覚として感じ取れる体験を通して、経験にまで昇華させ感性をみがきたいものです。

今を生きる意味

かなり以前のこと、文芸系の学生たちを東京三鷹にある国立天文台の見学に連れて行ったことがあります。当時、東洋一を誇る大望遠鏡ドームの中で、連星といって、たがいの相手の星のまわりを回っている星の観測をしていた天文学者のお話を伺っていたときのことです。その連星は、およそ、７０００年以上の周期で、回っているという先生の説明に、一人の学生が「７０００年って人間の一生より長いので、先生ご自身は確かめようがないのに、なぜ、観測しているのですか」という質問をしたのです。それに対しての先生の答えは、

「それはね、今の観測結果を次世代に残していかないと、７０００年で回っていることの確認ができないでしょ」

でした。

つまり、科学は次世代のために現在わかっていることを残すということにもその役目のひとつがあるのです。

現代の私たちの日常生活を支えているのは、今から二百数十年も前に活躍したイギリスの物理学者ニュートンが創設したニュートン力学ですが、その構築のきっかけとなったのは、ニュートンより一世代前を生きたデンマークの天文学者、ティコ・ブラーエが、肉眼で惑星の動きをつぶさに観測し、残していた膨大なデーターでした。それを読み解くことから、星の運行についての基本的法則を発見し、現代の文明を築く基礎となった力学ができたのです。

そういえば、以前、私も、近隣の公園にある一本の樹木が気になり、定点撮影をしたことがあります。

冬の木枯らしに耐え抜くと、やがて芽吹きの季節、新緑から夏へ、そして秋の台風で、大揺れになりながらもしっかりと大地に根ざし、晩秋には、金襴緞子（きんらんどんす）の衣装をまとい、美しく風に舞う落葉は、次の世代へと命をつなぐバトンタッチ、というように、ひとつのカメラの画角の中に、めぐりゆく季節の壮大なドラマが演じられていました。それは、一本の樹木という自然の中の小さな部分に、大自然の営みが投影されていることを理屈ではなく身体感覚として実感する貴重な経験になりました。

その一方で、宇宙の研究では、宇宙をつくりなおして実験を繰り返すことができません。宇宙の様相をくわしく観察し、その記録から宇宙の基本原理を推測するしかありません。これは、一度しか経験できない自らの人生と向き合う毎日に似ています。人生の意味を問うことばかり考えてじっとしていては、そこから得られるものは何もありません。人生の波にもまれながら、ただ、ひたすら現状の定点観測を行っていると、ある日、突如として、生きていることの意味、その有難さに気づくことがあります。

その定点観測の基準点が、未来への夢です。夢をもつことの大切さはそこにあるような気がします。

一生おなじ歌を　歌い続けるのは
だいじなことです　むずかしいことです
あの季節がやってくるたびに
おなじ歌しかうたわない　鳥のように

（岸田衿子「ソナチネの木」より）

一粒の砂

私たちの日々の生活は、おびただしい数の中にうもれています。といっても、数の姿はどこにも見えません。私たちには中学数学でおなじみの「ピタゴラスの定理」で有名な、古代ギリシャの数学者、ピタゴラスは、数の調和や整合性を重視して、「万物の根源は数である」という有名な言葉を残しています。

このように人類が、ものの数を1、2、3……と数えることを習得したのは、おそらく、母親の胎内で、臍(へそ)の緒でつながり、一心同体だったところから出産によって母と分離し、そこから2を学び、さらに、母親以外の第三者に出会うことで3という概念に出会ったということなのでしょう。そして、人々は、この数はいったいどこまで続くのだろうと、はるかなる無限に想いを馳せていったようです。数えることを覚えはじめた子どもたちが、大きい数を言い合うゲームをしますが、これは、最後により大きな数を言ったほうが必ず勝ちます。無限への旅のはじまりです。

もし、無限という数字があるのであれば、それに1を加えたものは、無限より大きくなりますが、そうすると、「無限は最大数である」という定義と矛盾してしまい、無限より大きなものは存在しないということになります。私たちの宇宙の中で、一番大きい数だと考えられているのは、宇宙全体を構成する原子の数でしょう。これは1の後に0を80個つけたくらいの数です。宇宙が生まれてから、現在までの時間を秒で表せば、1の後に0を18個つけたくらいの長さです。このことから0が無限に続く無限がいかに大きいか想像がつきますね。

そこで、思いついたのが円です。ピタゴラスたちは、円に内接する多角形と外接する多角形の外周の長さをはかることで、円周の長さを決めようとしましたが、その長さが、どこまでいっても数字では表しきれない無限小数だということに気づきました。円の中に無限を見つけてしまったのです。

一方、禅宗の禅画に円相というのがあって、一筆で円を描く書法があります。これは、空、風、火、地などすべてを含んだ世界全体を表し、悟りや真理の象徴として、単純明快でありながら、深い意味を宿しています。中でも、漬物にも名を残す沢庵宗彭（１５７３〜１６４６）が最晩年に描いたとされる円相像は、まるでコンパスで描いたような完全無欠の円で圧巻です。一方、仙厓義梵（１７５０〜１８３７）は、「一円相（仲秋名月）画賛」と題して、未完成の円を描き、白隠慧鶴（１６８６〜１７６９）は、太い筆使いでしかも温かい円相を描いています。みずから描く円の中に宇宙の大悲を見ていた禅僧のように、私たちも、身近なことのなかにつまっているかもしれない大切なことを見逃さないようこころがけたいですね。

一粒の砂の中に世界を
一輪の野の花の中に天をみるように
てのひらの中に無限を
ひとときに永遠をつかみなさい。

（W．ブレイク「無垢の予兆」）

第5章　老いて老いないということ

腰痛から見えてくるもの

日本全国で２８００万人、全人口のおよそ25％にも及ぶこの数字！　なんと腰痛症に悩む人の数です。最近の厚生労働省の国民生活基礎調査にでています。まさに腰痛は国民病ですね。

実は、私自身も例外ではなく腰痛もちで、特に今年は、足腰に違和感を覚え、歩行困難になった後、通常に戻るまで、およそ３ケ月を要しました。左足に何か痺れのような違和感を感じるところから始まり、やがて、臀部、脛、足先へと痛みが広がっていきます。どのような体位をとっても痛みの軽減にはつながらない時期が重症期で、その峠を越えても、起床時に、上半身を少し起こした途端、足先から太腿にかけて、まるで、足が強烈な炭酸水を飲んだかのような痺れ感と痛みに見舞われます。まるで、足全体を金具で挟み、締め上げられているかのように、重く鈍くじわりとやってくるような痛みです。私の場合でいえば、レントゲン撮影の所見から、腰部椎間板ヘルニアと腰部脊柱管狭窄の合併症という診断が下っていますが、その他に仙腸関節の不具合や、腰から足にかけての筋肉と筋膜の癒着なども疑われています。

このように原因が特定もしくは推測できる腰痛は、全体の15％ほどで、特異的腰痛と呼ばれています。残りの85％は、臨床的には、原因がつかめない非特異的腰痛と呼ばれているもので、これはストレスによって生じる血流不全と、脳から分泌される痛み解消物質：ドーパミンの量が減ることと関係があるらしいといわれています。かつて、テストコースやサーキットなどで非日常な高速走行をしているときに、緊張度が高まる状況になると、突如、腰全体が、ベルトで強く締め上げられているかのような痛みに襲われることがありました。

実は、これらの腰痛は、四足歩行から二足歩行に移行することで、脊椎の上で大きな脳を支えることができるようになり、人類になったという進化の代償だったともいえます。そして、人間の骨格は、腰痛を解消するために歩くように再設計されたのです。ところが、文明は日常を歩かない方向へとシフトさせてきました。そこで、今回は、安静第一主義をやめて、入院を控え、従来からの痛みの程度にあわせて、２本のウォーキングスティックと腰ベルトで体を支えながら歩くことにしました。安静は筋肉を硬直させ、血流不全を起こすからです。

さらに原稿書きの時にも、１時間ごとに部屋の中を歩くなど、長時間座りっぱなしを避け、腰ベルトの乱用も控えて、温熱マッサージに専念することで徐々に回復へと向かいました。日常の立ち振る舞いも、自然の摂理に逆らうことなく、自然の分身としての自分という意識をもつことが健康への第一歩のようです。

加齢と知性

19世紀末から20世紀初頭にかけて活躍したアメリカの実業家、サミュエル・ウルマン（1840〜1924）の「青春」と題した詩があります。その要旨は、〝青春とは、人生のある期間のことをいうのではなく、心の持ち方であり、年を重ねただけで人は老いるものではない。子どもがそうであるように、驚異に惹かれる心、未知への探究心、豊かな想像力、希望へと向かう冒険心と情熱があれば人は老いない〟という内容です。そして、それらを失ったとき、たとえ20歳であっても老いていくと警告しています。しかし、体力、知力など、すべてを年齢とは関係なく維持せよということではないといいます。

物理学の話になりますが、自然界の基本法則の一つに「エネルギー保存の法則」

があります。山の上のダムに貯蔵された水は、低い地上に対して「位置エネルギー」を持っていますが、その水が地球の重力によって落下すれば水の「位置エネルギー」は減少し、その減少分は、水の「運動エネルギー」に姿を変えて、発電機を回す力になり電気エネルギーに変身します。エネルギーの見かけの形は変わっても全体のエネルギーの大きさは保存されて不変です。

実は、人生にも似たところがあります。年齢を重ねれば、心身ともに力は減退していきますが、逆に得るところもあります。経験の積み重ねによる直感的な洞察力、本人が健康であれば、他者への包容力、寛容さは増加します。また、過去をみる自分の目に変化が生まれますから、過去の価値がよりわかるようになります。遭遇した時点でのものごとの価値判断はできないということですね。私ごとで恐縮ですが、かつては、テストコースで時速３００㎞の世界を体験していたにもかかわらず、今では高速道路を時速１００㎞で走行するのにもかなり緊張します。

しかし、前後左右の状況は、以前よりも注意深く確認するようになりました。そして、前方を低速走行していたり、乱暴な運転をしている他車に出合っても、それなりの理由があるのだろうと容認できるようになり、自分は、そうなりたくない、などと教訓への転換ができるようになりました。これは、老齢になって新たに獲得した知性かもしれません。もちろん、認知機能の減退が顕著な場合の運転は禁物ですが、自然な加齢であれば、自動車の運転には、あらゆる認知力が必要ですし、さらには、免許更新時の認知テストで満点をめざそうというような夢をもつことができれば認知症などの発症を遅らせる効果も期待できるでしょう。運転免許証返納はもう少し先のことになりそうです。

身体に学ぶ

最近、テレビの天気予報で、〝天気痛〟という言葉が聞かれるようになりました。天候の変化や気圧の変化によって発症する頭痛や〝めまい〟、倦怠感などを指す病名のようです。これは、人間の身体状態そのものが大きく自然と関わっていることを示す事例です。その一方で、自然界は、拮抗する反対の性質が、ゆらぎながら安定を保つことで存在しています。自然風の風速も、吹くか吹かないか、人間の心拍周期も、速めるか遅らせるか、というような二つの拮抗する働きが互いに牽制しあって独特のゆらぎ方をしてバランスをとっています。

実は、ガン細胞の元気さは、その細胞の構造から見て、人間が子孫をつくるために持っている生殖細胞の元気さと同じなのだそうです。とすれば、ガンに罹患した場合、その生死に関わる二つの相反する働きのどこに妥協点をみつけるかということが、今後の人生を決めることになり、賢く共存することがその答えの一つになります。

これは、2世紀から3世紀を生きたインドの僧であり思想家でもあった竜樹（ナーガルジュナ）（150〜250頃）がいうところの〝中庸〟を思い起こさせます。この〝中庸〟とは、どちらつかずということではなく、相対するものを包括した上で、一段、高い視座から調和としてみることで、現代アメリカの心理学者、J．フラベル（1928〜）が定義づけている「メタ知識」、つまり、自分が認知している知識を、さらに高次の視点から再構築して理解していくという考え方です。この考え方は、陰陽が、たがいに浸透しあいながら変転を続けて世界が構築されていくとする東洋の考え方に似ています。事実、人間の身体の中では、各臓器が深く関わりあいながら連携して働いており、食べ過ぎれば、お腹をこわして食べることにブレーキをかけ、緊張する場面では、心拍を速めて体の運動機能保全の準備を行うというような自動制御機能が内在しています。

実は、最近、漢方薬の中に含まれる成分を調べてみたところ、一つの機能を制止する働きと、逆に、その機能を増進させる機能の両方の成分が入っていて、それを服用すると、理由は定かではありませんが、この機能の一方を体の方が自動選択して治癒に導くという事実に直面しました。自然の一部である人間には、生命を持続させるためのなんらかの巧妙なプログラムがあるのかもしれません。そのような身体自身がもつ機能に学ぶことがあるとすれば、人間社会においても、まず、対立を乗り越え寛容と協調の世界を目指すことの先に、持続可能な世界が見えてくるのではと、そんな気がしています。

豊かな未来は、対立を超えた寛容と協調の先に。

ものごとが時を連れてくる

「おりにかなって語る言葉は、銀の彫り物に金のリンゴをはめたようだ」これは旧約聖書、箴言（しんげん）、第25章11節に書かれている言葉です。

年を重ねつつ、ふと、過去を思い起こしてみると、この箴言の重みを実感する場面がつぎつぎに思い出されます。これも、年をとることで、過去を振り返るときのまなざしに変化が起こり、あらたな価値を感じ取れるようになってきたからなのかもしれません。60代、70代後半で、二度、ガンに罹患して、先行きに一抹の不安を感じていたころ、ふと訪ねた町医者の待合室でみかけた言葉もその一つです。江戸時代の臨済宗古月派の禅僧であり、禅味あふれる禅画でも知られる仙厓義梵が言ったとされる言葉です。

「60歳は人生の花、70歳で迎えがきたら、留守だといえ、80歳で迎えがきたら、早すぎるといえ、90歳で迎えがきたら、そう急ぐなといえ、１００歳で迎えがきたら、ぼつぼつ考えようといえ」

この時代での平均寿命をはるかに超える88歳まで生きた仙厓禅師が、なかば、ユーモアたっぷりに語ったこの言葉は、標準治療法もなく、余命期間あと5年といわれるガンに罹患していた私にとっては、理屈を超えて、明るい未来と元気を与えてくれました。それは、まさに、ほんとうの智慧ともいうべきおりにかなった言葉との出会いでした。

ところで、私たちは、日常の生活の中では、時がものごとを連れてくるかのように感じています。たとえば、朝8時に家をでて、9時から勤務につき、正午にはランチに行くというように。しかし、古代ユダヤの人たちがそうであったように、ものごとが時を連れてくると考えてみると、〝おりにかなった〟の意味がはっきりしてきます。つまり、おりにかなった言葉やできごとに出会うのは偶然ではなく、いささか逆説的ではありますが、日ごろから、それらに出会う準備をしているからこそ、出会えるという考え方です。私は、特定の宗教の信仰者ではありませんが、おそらく信仰とはそういうものであり、その対象は宗教とは限らず、個々人の目標や希望であっても同じだという気がします。積極的に何かを強く求める行動にでるよりも、その求めるものに出会うかもしれないという心の準備を忘れずに地道な努力を重ねることが目標達成への近道になることが、最近の心理学や脳科学の立場からもわかってきています。

ここで、ふと思い出すのが、旧約聖書出エジプト記、第3章14節にでてくる神の自己紹介です。

「わたしは有って有るもの（新共同訳）」。わかりにくい表現ですが原語（ヘブライ語）では、エヘイヘ アシェル エヘイヘ、英語にすればI am who I amで神は時を超越した自在的永遠の存在だというのですから、その御業としてのものごとは、時に先行して顕在するということのようです。

老いて老いないということ

宇宙のなかのできごとには、対極の性質がワンセットで組み込まれています。たとえば、プラス電気とマイナス電気も、対極の性質として等量含まれていなければ、不安定になって全体が壊れてしまいます。もともと地球上に最初に出現した生命は、たとえば、細菌（バクテリア）や古細菌（アーキア）などですが、それらは、遺伝子のセットを一つしかもっておらず、栄養がある限り分裂が続き、個体数をふやすことができますから、基本的には不死ですが、いったん生存に適した環境などが壊れると、一度に絶滅してしまいます。ところが、それから20億年の後、遺伝子のセットを二つもち、オスとメスが協力し合って個体をふやす新しい生物が誕生、その結果、遺伝子セットのバリエーションが豊富になって、さまざまな環境に対応できる個体が誕生します。

しかし、このような個体では、細胞分裂を繰り返すたびに、ＤＮＡの両末端にある「テロメア」と呼ばれる部分が短くなり、回数券がなくなっていくように細胞分裂の回数が制限されます。つまり、多様性をつくって種として生き延びる策の代償として自死のしくみを獲得したのです。生と死という対極がワンセットで組み込まれた深遠な自然の根本原理です。これが、私たちの「老い」の理由ですが、そこにも両面があって、心身ともに衰退していく反面、これまで培ってきた豊かな経験や知識が輝きを増すことにもなります。運動能力、生殖可能年齢をはるかに過ぎても助言者として生き残ることができる唯一の哺乳類としての人間の特徴がその一例です。

室町時代の能作者、世阿弥（１３６３〜１４４３？）は、「風姿花伝」第一、〝年来稽古条々〟の最後に、「これ、まことに得たりし花なるがゆゑに、能は枝葉も少なく、老木（おいき）になるまで、花は散らで残りしなり」と記しているように、人は、夢と憧れを失ったときに「老いる」のであって、眼に見えない潜在能力の輝きは衰えません。現代における「老い」の原因の一つは、働ける心身能力があるうちに定年で打ち切られてしまうことです。ならば、それをチャンスに、すべてをリセットして新たにやりたいことにチャレンジしたらどうでしょう。どんな小さなことでも、やってみようと思う心の動きが、さらなるチャンスを生み出してくれます。

実は、「何かを始めよう」と思ったその時が、あなたにとっての「適齢期」なのであって、人生には、生鮮食品のような「賞味（消費）期限」などというものは存在しないということです。私たちの心身は、ほかの物質とは違って、日々、更新されていくように作られているなんて素敵ですね。

問い続ける「なぜ？」

「ふしぎだと思うこと、これが科学の芽です。よく観察してたしかめ、そして考えること、これが科学の茎です。そうして最後になぞがとける、これが科学の花です」

この言葉を残したのは、日本人2人目のノーベル物理学賞受賞者となった朝永振一郎博士（1906〜1979）でした。そして古代中国の思想家、孔子（BC552？〜BC479）もその大著、「論語」の冒頭に「子曰く、学びて時に之（これ）を習ふ。亦（また）説（よろこ）ばしからずや」と書いています。繰り返し学ぶことによって、ある日、突然、知に目覚めたときの喜びが描かれています。さらに「子曰く、学びて思はざれば則ち罔（くら）し。思ひて学ばざれば則ち殆（あや）うし」と続きます。ただ、知識をつめこむだけで思索が伴わなければ、学ぶことにはならず、また空想ばかりで、その根拠となる理屈がわかっていなければ、大きな誤りに陥る危険性がある、というのです。そして、弟子の子路に向かって、〝知っていることを知っていることとし、知らぬことを知らないとすることが「知る」ことである〟と諭しています。学ぶということの意味を的確に表現した文言です。

ところで、「学」という字の旧体は「學」です。この字の形をよく見ると一番下に「子」があって、「冖」の中に入っています。

これは子供が家の中に閉じこもっている様子を示しています。その上に「臼」のような形があって、その中央に×印が入っていますが、これは、大人が両手を使って子供を家の中から外の世界へと引っ張り上げようとしている指の形だといわれています。つまり「学び」への第一歩を示しているのですね。

私たちの日々の生活の中には、「学び」の素材があふれています。そのきっかけになるのは「なぜ」という問いかけです。そのときに答えがでなくても、ある日、突如、その謎がとけたときのうれしさは喩えようもありません。そのうれしさこそが、生きる活力にもなります。「わかる」とは「わ」と「か」を入れ替えて「かわる」ことでもあるのです。かつて世界ではじめての新分野「雪氷物理学」を切り開いた中谷宇吉郎博士（１９００〜１９６２）は弟子たちに向かって、口癖のように語りかけていたそうです。「ねえキミ、不思議だとは思いませんか」。私たちがあたり前だと思っていることの裏に、深遠な真理が隠れているかもしれないからです。現代物理学の基礎になっている量子力学の発展に大きく寄与したデンマークの物理学者、N．ボーア（１８８５〜１９６２）は、「正しい主張の反対は、ただの誤りだが、深い真実の反対は、もうひとつの真実である」と言っています。心にしみる名言です。

第6章　幸せについて考える

腹八分の幸せ

私たちが生きているという状態とは、自分をとりまく環境と絶えずエネルギーや物質、情報などを交換しながら平衡を保っているということです。私たちは空気中の酸素を吸って生命を維持していますが、吸いっぱなしでは体内からの排出物としての二酸化炭素を除去できず、生命の維持はできません。その排出物を吸収し、水と日光から私たちに必要な酸素を作り上げるのは植物です。すべては相互依存です。これは、私たちの宇宙にはじまりがあったということから当然のことでしょう。

ところで、私たちは、いつの日にも幸福でありたいと思いながら生きています。では、私たち人間にとっての幸福とは何でしょうか。このことについては、古来多くの宗教者や哲学者たちが想いをめぐらしてきていますが、あえて言ってしまえば、すべての欲望から解放されて、心が安泰な状態にあることでしょう。それは、スポーツでいえば、苦難を乗り越えてゴールインした瞬間とか、他者に心から喜んでもらったときなど、自分という存在が一瞬消え去った場合だといってもいいでしょう。自分が消え去るというのは、一時的にではありますが、欲望から解放されるということでもあります。

その一方で、個体として生き残るためには、欲望が必要です。自然環境も含めて、他との競合に打ち勝たない限り生きていけないからです。したがって、心で感じる幸せ感も、それらの欲望の達成と無縁ではなくなります。その欲望は、スポーツでの試合や競技がそうであるように、限りがありません。そこを腹八分で止める動機となるのが、相互依存への気づきです。

ここで、財力、権力、名誉などに裏打ちされて築いた幸せ感の量をひとつの風船になぞらえましょう。風船の中身が、それらの幸せ感の総量だとします。すると、風船の外側、つまり表面積の大きさは、いまだ手にしていない幸せ感の領域です。

風船の中身がふえればふえるほど、その表面積もふえます。これは欲望には限りがないことを意味します。そして、風船はある大きさに達すると破裂してしぼんでしまいます。つまり、心静かに幸せに生きるには、まず現状をまるごと受け入れて、その中に幸せの種を見つけることが肝要です。この程度でちょうどいいと思えるかどうか、まだ足りないと思っていれば、いつまでたっても足りない……が続き、最後には破裂してしまいます。この腹八分の幸せのなかで、絶えず努力することが、新しい風船への分岐を促し、気がつけば、さらなる幸せへのゲートが開いていることになるような気がしています。

自分が変わると全体も変わる

熱い味噌汁をお椀に注いで一度大きくかきまわし、そのまま放置しておくと、最初はお味噌一色だった表面に渦ができ、最終的には細胞の塊のような模様ができます。これは表面が冷えることで生じる対流が原因となって組織化が生じる現象で、〝散逸構造〟などと呼ばれています。混沌から秩序が生まれる例で、生命の発生や集団の組織化などのモデルになっています。この場合、組織の一部に小さな擾乱(じょうらん)を与えると、組織が再び再配列し始めます。これと似た実験は、水を入れた金魚鉢に1円玉を複数個浮かべて(実は浮くんです!)、鉢の側面を静かに叩くと、1円玉が少しずつ移動して互いにくっつきあい、結晶構造のような形が出来上がります。その中の一つの1円玉を動かすと、全体がくずれて再配置が起こります。これらの実験は、組織という集団の中で生きる私たちに、ひとつの知恵を授けてくれます。

人生にとっての一番のストレスは、一言で言ってしまえば、〝思いどおりにならない〟ということでしょう。そのはっきりした要因は、特定される場合もありますが、大方は、はっきりした因果関係がわからないままの場合が多いようです。それは、私たちの立ち位置が、あらかじめ決められたものではなく、周囲と影響し合いながら、たくさんの偶然が重なって形成されているからです。そのような状況におかれたとき、他者との比較や、自分の能力の過剰あるいは過小評価などに向かってしまうと、事態の解決は難しくなります。先ほどの味噌汁実験で見たように、人間の集団には、自己組織化の性質が組み込まれています。味噌汁の例でいえば、組織の理念に従って最初にかきまわすのがリーダーの役目で、そのあとに全集団にわたる自己組織化が始まります。その中で、どこか居心地が悪いと思う場面に遭遇した場合、他を変えようとするよりも、自分自身を少し変えてみることが効果的です。たとえば、出勤時間を少し早めてみる、職場で「おはよう」の挨拶を積極的に行ってみる。何もしないより、何か行動することによって変わる可能性がでてくるものです。この場合、相手を変えようとすると、さらに相手をとりまく環境までも変えることになりますから、そのためのエネルギー消耗は大きくなります。それよりも、組織の中には必ず自然対流のようなものがあって、小さなセル（細胞）である自分の行動を変えることが全体を変えることに繫がりますから、少しだけ、自分を変えてみることが大きな全体への変革に繫がるかもしれません。

用具から道具へ

先日、お茶と宇宙をめぐる対談で、裏千家八代又玄斎一燈宗室（ゆうげんさいいっとう）（１７１９〜１７７１）手作りの黒茶碗と出会い、冬籠という銘にふさわしく、掌にしっくりとおさまるその感触に、３００年という月日の流れを感じました。茶碗は、お茶を飲むための用具ですが、時の流れが「愛でる」という感覚を生み、それはもはや用具ではなく道具になっていました。かつて東日本大震災直後の現地を訪れたとき、山のような瓦礫（がれき）の中に、小さな茶碗をみつけたことがあります。普通の家庭の日常の中にあるようなありふれた茶碗でしたが、ふと、その茶碗とともにあったであろう人の生活時間に想いを馳せたとき、それは単なる食事用具としての陶器などではなくなり、その持ち主の面影が立ち現れたような気配を感じて、思わず手を合わせた記憶があります。

現代は、アナログからデジタル技術文明の時代に移行し、人工知能ＡＩまでもが日常の中に登場する時代になりました。その結果、次から次へとあらゆる製品の開発が加速し、あっという間に旧型になってしまう製品は廃棄され、使い捨ての時代になっています。パソコンを含む家電製品、カメラ、自動車、文房具、数え上げればきりがないとまがありません。その煽りを受けて、ほとんどの製品が道具になる以前に用具として走馬灯のように視界に現れては消えていきます。その一方で、インターネットの普及は、おそろしいまでの大量の情報の波を送り出し、人々は画面を見る視覚と、タッチパネルを操作する指一本で、世界全体とつながってしまいますから、人間本来の五感のすべてを働かせるという身体感覚がいびつになってきています。匿名性が色濃くでている画面上には、真偽がはっきりしていない情報があふれ、それが悪意に満ちたものであっても、ゲーム感覚の笑いで処理されてしまうなど、たいへんな状況も散見されます。その背景には、インターネットで全世界とつながっているように見えても、それは仮想現実でしかなく、生身の身体感覚としては孤独だとしか言いようがありません。そんなとき、自分とともに時を重ねている何かがあると、本来の自分の立ち位置を取り戻すことができて、未来への希望がわいてくることがあります。そのひとつが道具です。

私の場合でいえば、万年筆があります。若いころ、手紙を書き、論文を書き、人生の一喜一憂を共にしてきた相棒です。ペン先をすり減らしながら自分とともに成長してきた相棒だからこそ、過去から現在までの時間を凝縮した人生の記念碑であり、さらには、そこからもう一歩、未来への道しるべになってくれそうな気がしています。

ドリーム・キャッチャー

カナダ、オンタリオ州の北部、美しい森と湖にかこまれた町、サドバリー。この一角に、今からおよそ19億年の昔、巨大隕石が落下、東京都の広さに匹敵する南北27㎞、東西60㎞のクレーターができて、今では世界有数のニッケル産地になっています。金属で構成される星の中心部が落下したのです。実は、今から30年ほど前に、流れ星をあしらった町のシンボル旗がはためく科学博物館で、世界中から集まってきた子供たち相手に講演をしたことがあります。題して「星のカケラの私たち」。講演を終えて楽屋に戻ると、ヴェールで全身をつつみ、神秘的な雰囲気を漂わせた女性が訪ねてきました。サドバリー近郊に今なお居住するカナダの先住民、オジブウェー族の祈禱師で、その名は「暁の星」。私の講演内容が、先祖から聞かされてきた世界観とそっくりだったことに驚いたのだそうです。そのことがきっかけとなって、その集落を訪ねることになりました。腰には刀、背には弓矢を背負い、イーグルの羽をあしらった帽子をかぶった酋長が出迎えてくれて、歓迎のダンスが始まり、動物の皮でドーム状に覆った真っ暗なテントの中で、焼け石に水を注いでサウナ状態にして行うビジョンクエストなどの体験をさせてもらいました。中でも強烈だったのは、彼らが信奉する神秘の存在、「グレイトクリエーター（偉大なる創造主）」と一体化するための儀式でした。野いちごの収穫期、6月の満月をストロベリームーンと名づけ、その夜、清純な少女の肌に傷をつけ、そこからにじみ出る血液を、香料の素になる植物を撚り合わせてつくった紐に滲ませ、天高く聳える聖なる樹木に結びつけることによって、その部族の代表としての少女と創造主が通じ合うのです。その結果、創造主の意図で、善悪、明暗などの対極的性質が交互に姿を変えながらバランスよく存在することになったこの世界の在りようの中に、たとえば、何か悪いことが起こってもまるごと受け入れて好転する時期の到来をひたすら信じて待つという生き方の規範を祈禱師となった少女を通して見つけることになります。

そして別れの日の朝、柳の曲げ木を輪にした中に、動物の腱でつくった糸を張り、真ん中に穴をあけた「ドリーム・キャッチャー」を携えて空港に見送りにきた先住民の少女がいました。それは、なんと普段の洋服姿のあの祈禱師でした。夜の空気のなかに混じっているよい夢だけが網をすりぬけて、悪い夢は、網に絡めとられ、夜があけて、父なる太陽の光を浴びると消失するのだそうです。先住民の深い智慧を窺い知ることになった貴重な体験でした。

究極の幸せとは

かつて、オーストリアの論理哲学者ウィトゲンシュタインは、「言語はそれ単体で意味が確定するものではなく、日常のなかで言語をゲームのようにやりとりするなかで、意味が確定する」という考え方を提唱し、これまでの哲学に一石を投じました。同じ言葉でも文脈によって意味が変わってしまうということです。Aさんが自動車のことを〝クルマ〟と言い、Bさんは、人力車のことを〝クルマ〟と言っていたとすれば、両者の会話は成立しません。しかし、〝クルマがこわれた〟という文脈においては、両者とも同じ状況を理解します。私が〝太陽〟と言った場合、私の頭の中で、〝太陽〟ではない他の星々、たとえば、水星とか金星など太陽系の惑星などと異なる天体として〝太陽〟だと言ったとすれば、〝太陽〟の中に〝太陽ではないもの〟が含まれていることになります。そこには、〝ある〟と〝ない〟が同時に含まれています。〝私〟という言葉についても同様です。〝私〟は、その言葉だけでは確定せず、〝私〟を〝私〟として認知する相手、環境などがあって、はじめて〝私〟になります。さらに〝点〟とは何かと聞かれても、その存在をリアルに実感するのは難しいことですが、二本の直線が交わった場所と考えれば、なんとなく理解できます。このような考え方を拡張していくと、世の中には「モノ」として独立存在する実体はなく、実在するのは、関係性としての「コト」であるということになります。これは、永遠に変わることのない物質はないが、それらを支配する法則は不変であると考える現代科学における自然観にも通じます。

実は、人が求める究極の幸せも、関係性の中にあるように思います。それは、「愛する」そして「愛される」という関係性における幸せ感です。愛する対象が人であっても神であっても、その相手にかしずき、すべてを委ねて謙虚に生きることによって、自分をとりまくすべての他者や状況への恐怖心がなくなる状況を生み出してくれるからです。ここから、芸術としての音楽の意味も見えてくるように思います。音楽がもつ無時間性です。音楽は、時間の上に成立する芸術ですが、それを聴いている人にとっての時間を消滅させる力をもっています。つまり、現在の中に、過去も未来も集約され、〝永遠を生きるかのような今〟の体験をもたらします。これは、対象が何であっても、〝愛する〟という意味において夢中になれるものとの出会いの中に〝幸せ〟があることを示唆しているのではないかとそんな気がしています。

境界線

私はキリスト教、仏教などを含めて、特定の宗教の信仰者ではありませんが、1981年2月25日、広島で行われたローマ教皇ヨハネ・パウロ2世のスピーチは強烈な印象として残っています。

「戦争は人間の仕業です。戦争は人間の生命の破壊です。戦争は死です」

パウロ2世は、かつて中世の科学者迫害を謝罪したはじめての教皇でもあり、現代の宇宙論にも強い関心を寄せていた稀有な教皇でした。

さて、人類の歴史を辿ってみると、それは闘争の歴史でもありました。その紛争や戦争の原因となるものを、私たちの日常生活の中に見つけることは容易です。たとえば、価値観の違いです。また、何かを独り占めにしたいという感情、他よりたくさんのものをほしいと思う感情、そのためには、権力、財産を拡大したいと願う感情です。これらを基盤にして、戦いの原因を大きく分けてみると、およそ五つに分けられます。第一は、民族間で起こるもの、第二は、宗教間で起こるものですが、それらのいずれもが、お互いの考え方、価値観の相違を認めたくない傲慢さが原因です。第三は資源をめぐる争いです。独り占めしたいという感情ですね。第四は政治です。権力をもちたいという欲望です。第五は領土をめぐる争いです。これは、大国による植民地支配をはじめとして、私たちの日常でも起こっています。隣家の敷地内への枝葉などの侵入や、北国では玄関先を除雪した雪の一部が、隣家との境界を侵害しているかどうかなど、隣近所との境界をめぐるトラブルです。

極端な例ですが、塀の外が駐車禁止にはなっていない公道であるにもかかわらず、そこに一時駐車した自動車に対して、水をかけたり、警察への通報をしたりなどという例もあるようです。

しかし、数学的に考えれば、境界線に幅はないのですから、互いに譲るべきグレーゾーンをつくっておかなければ収拾がつかなくなります。水は水素と酸素の化合物ですが、どこまでが水素で、どこからが酸素かという境界ははっきりしていません。水素と酸素は、互いの電子を共有しながら、結びついているのですから、明確な境界は存在しないのです。いずれにしても、これらの分断や抗争の根源的原因は、この世界には、物質、人間すべてを含めて独立存在はありえず、相互依存であるという大前提の理解がなされていないことにあります。

世界中の人たちが、それぞれの日常感覚のレベルで、すべてにおいて不動不変の実体などはなく、相互依存の中でしか存在しえない存在だということの自覚を促すことこそ、平和教育の根源だと思います。

夢のままに

現代宇宙論を支える相対性理論を構築したアインシュタインがこんな言葉を残しています。

「今の科学に欠けているものを補うことができる宗教があるとすれば、それは仏教である」

一瞬、おや？　と思う方もいらっしゃるかもしれませんが、相対性理論は、これまで別のものと考えられてきた時間や空間、重力などをひとまとめにした幾何学で表現する考え方で、その一方で、仏教の考え方は、森羅万象のもととなる真理はひとつだが、それを見る立場によっては、いかようにでも変わるとしていますから、両者の間に、共通点を見ていたのかもしれません。さらに、相対性理論と並んで、現代物理学の指導原理ともなっている量子力学の構築者の一人、ハイゼンベルク（1901～1976）は、こうも言っています。

「客観的事実など存在しない。あるのは、自分の目を通して見た事実だけである」

そして、さらに、量子力学に移行する直前の前期量子論を確立したボーアは、「正しい主張の反対は、ただの誤りだが、深い真実の反対は、もうひとつの真実である」とも言い切っています。つまり、この世界は、真逆の互いに拮抗する性質がバランスしていることで、できているのではないか、ということです。いずれも、現代科学による世界観が直面している状況を示唆するものとして注目すべき言葉です。

実は、今から2000年以上の昔、中国の思想家、荘子（BC369?～BC286?）が書いたとされる古典の中に「胡蝶の夢」という物語があります。ある穏やかな春の日、うとうとと昼寝をしてしまった人が、蝶になって、花から花へと楽しく飛び回っている夢を見ていました。ふと目覚めると、現実の世界で同じような蝶が目の前を飛んでいたというのです。そのとき、その人は、今、現実だと思っていることの世界は、目の前を飛んでいる蝶の夢の中の情景なのかもしれない、と思ったという話です。たしかに、私たちは、ありのままの現実を見つめるだけでは生きていけません。未来への夢が必要です。だからといって、パンを食べているという想像だけでは生きていけないように、非現実の夢の世界だけで生きていくこともできません。実際には、現実と非現実の夢との間を振り子のようにゆれながら生きていくということでしょう。その過程を通して、私たちの脳は、ある目的を意識すると、その目的を成就するのに必要な情報を、自動的に集め始めます。ここに、夢をもつことの大切さがあります。

今からおよそ２００年の昔、文政10年（１８２７）、現在の新潟県長岡市にあった良寛禅師（１７５８〜１８３１）の小さな庵室を、憧れの師と出会えるということで、夢見ごこちで訪ねた貞心尼（１７９８〜１８７２）に、良寛禅師がお返しとして送った歌を思い起こします。

夢の世に　かつまどろみて
夢をまたかたるも夢も　それがまにまに

良寛

わからない明日に夢を描く

「明日、太陽は昇るでしょうか」と問われれば、「おそらく昇るでしょうが、明日になってみないとわかりません」としか答えようがありません。未来のことは確定できないということです。だからといって、お先真っ暗ということではありません。もし、明日、悪いことが起こることが決まっていて、それを事前に知っていたら、どうにも怖くて生きていくことができないでしょう。ある程度の予想はできても、そのときになってみないとわからない不確定さがあるからこそ、対処法をあらかじめ用意することができます。半分予想できて、半分予想できない未来だからこそ、夢を描くことができます。

実は、自然界全体には、そのような性質があることがわかっています。その確たる理由はわかっていないのですが、ひとつの可能性としては、この世界を構成するすべてのものは、膨大な数の同じ顔をした小さい基本粒子からできているという事実です。原子レベルの大きさでいえば、１の後に０が80個ほど並ぶくらいの数（10^{80}）です。これは、宇宙ができてから現在までの１３８億年を秒で数えたとしても、１の後に０を18個つけたくらいの大きさ（10^{18}）にしかなりませんから、いかに大きな数であるかは想像できますね。

さて、宇宙の中で生起する現象は、私たちの脳の中で起こっていることも含めて、それらの粒子たちの離合集散によって起こっています。それぞれの粒子には、意思がありませんから、でたらめに動こうとするでしょう。しかし、まわりには、たくさんの粒子があって、思うようには動けません。その結果、半分予測できて半分予測できないような動きをします。これは、大きな一様な紙の上にアリを一匹のせて、その動きを観察することによって見ることができます。この動きは、観察者が進むと思っている方向に行く場合と、行かない場合が起こる確率が半分ずつで、行くと思えば行かず、行かないと思えば行く、というような動きです。このような変動を「1／fゆらぎ」といって、自然界の中にたくさん見ることができます。自然風の強弱、星のきらめきの強度変化、生物の神経軸策を伝播する電気信号、心が落ち着いているときの心拍や脳波の周期のゆらぎなど、生物界、物質界を問わず、広く自然界に見られる根源的性質です。

私たちの人生も同じです。社会秩序という制約と自分の自由意志とのバランスの中に未来を創出していける自由があります。それはどんな状況にあっても、忍耐と努力と夢をもってさえいれば、豊かな希望への道は開かれているということで、自然が教えてくれる生き方指南のひとつです。

特別講義

時間・この不思議なもの　過去も未来も「今」の中に

「あ、時間がない！」、「こんど、時間をつくってくださいね」、「すてきな時間をありがとう」……などなど、ふだんの生活の中で、「時間」という言葉は、あふれています。でも、時間っていったいなんでしょう？　誰でもが知っているようで、いざ、問われてみると、答えようがない、時間は、闇の中に姿を消してしまいます。時間の不思議です。

時間とは何か、これは人類の歴史始まって以来、多くの哲学者、宗教者、科学者などを悩ませてきたテーマです。たとえば、古代ギリシャの哲学者、アリストテレス（BC384〜BC322）は、連続している物体の運動を、「より先」と「より後」に分割して、それを数えたものが時間であるといいましたが、その後、ローマ時代の思想家、セネカ（BC4〜AD65）は、「人生の短さについて」という著作の中で、「人生の長さをきめているのは、ほかならぬあなたである」と指摘して、私たちの心の状態と時間が無関係ではない、と主張しています。そして、その後、初期キリスト教の最大の教父、アウグスティヌス（354〜430）が、その大著「告白」の中で壮大な時間論を展開します。そこでは、時間を、過去、現在、未来に分けて考えた場合、過去はすでに過ぎ去ったもので存在せず、未来も、いまだ来ていないので存在せず、もし、時間があるとすれば、それは現在しかないと主張します。つまり、私たちが過去だと思っていることは、現在の中に過去として残っている「記憶」であり、未来とは、現在の中に存在する未来への「期待」だというのです。そして、まさに、今ここ、という瞬間としての現在が、「直感」として存在するだけだというのです。時間とは、私たちの心の中にある作用だというのですね。このことは、全身麻酔をかけられてから、再び目覚めるまでの間に、ぽっかりと空いた空白の時間を思い起こさせます。

ところで、もし、過去が現在の記憶の中にしかないのであれば、あなたが、家に何か忘れ物をしたまま外出して、すっかりそのことに気づかなかった場合、その忘れ物は、記憶の中にはないのですから、存在しないということになってしまいます。しかし、家に帰れば、忘れ物はそこにあるはずですから、存在しないということにはなりません。この矛盾は、外出中のあなたの意識の中に存在する記憶は、脳全体のどこかにしまいこまれている全体の記憶の一部だと考えれば解決されます。家に帰って、ここにあった、という現実をみて、忘れていた記憶を取り戻すことができるからです。

実は、2世紀中ごろから3世紀中ごろにかけて、インドで活躍していた大乗仏教中観(ちゅうがん)派の僧、竜樹(ナーガルジュナ)が書いた「中論」の中にも同じような記述があり、「今、ここ」にしかない時間の存在を説いています。この考え方は、時間を、たとえば、橋の上から川の流れを眺めるというようにとらえるのではなく、川の水の流れに身をまかせて「過ぎ去るもの」、「これから来るもの」としての時間を自分の内側から眺めているかのような立場です。あるいは、サーフィンのように大きな時間の波の先端にのって、「今」という動かない瞬間の連続として岸辺に打ち寄せられていく情景をも想像させます。

それでは、物理学での時間とは、どのようなものでしょうか。今、天井からつり下げられている振り子の運動を動画で撮影したとします。その動画を逆回ししても、映し出される映像は同じように見えるでしょう。真上に投げ上げられたボールの運動でも同じです。つまり、私たちが、ふだん目にしている自然現象を物理学の目でみると、過去と未来の区別はありません。物理学にでてくる時間は、ものごとが起こる順序の後先をきめる単なる物差し、つまり座標でしかありません。お菓子をたべてからお茶を飲むのか、お茶が先でお菓子が後なのかを決める座標です。ただ、ここで、「ふだん目にしている」と書いたのは、重力の強さが極端に大きい場所（たとえば、現実には不可能ですが、大きく重い星の上）や、光の速さに近いほどの高速で運動している世界では、相対性理論によって時間の進み方が違ってくることに注意していただきたかったからです。くわしいお話は、今回の講義の枠を超えてしまうので、ここではふれませんが、一定不変で絶対的な時間の流れは存在しないということです。たとえば、現時点で、最も正確だとされている原子時計を使って実際に測定されているところでは、東京スカイツリーの塔の先端と地上では、地上での重力がわずかに大きいために、時間の進み方も、わずかながら、ゆっくり流れていることが確認されています。

といっても、私たちの生活の中には、明らかに過去から未来に流れていくような時間感覚があります。なぜでしょうか。香水のはいったビンのフタをあけておくと、香水は部屋全体に広がっていって、どんなに待っても、もとのビンには戻りません。まるで、過去から未来へと、時間の流れる方向がきまっているかのようにも思えます。

しかし、それは、香水の分子がビンの中に閉じ込められているということが起こる確率よりも、部屋全体に自由に広がっている状態になる確率のほうが大きいために、部屋全体に広がっていく事態が起こっているということに過ぎないのです。

たとえば、ひとつの部屋の中に区別のつかない同じような4個の粒子、A、B、C、Dが入っていたとします。この部屋の左半分に4個の粒子がかたまっている状態が起こる場合の数は一つしかありません。では、左半分に1個、右半分に3個ある場合は、左半分に入る粒子は、A、B、C、D、4個のうちのどれか一つですから、4通りあります。では、部屋全体にまんべんなく、つまり左右に2個ずつ入る場合は、4個の中から2個を選ぶ方法の数ですから、全部で6通りあるでしょう。

つまり、粒子は、全体に広がって存在する場合の数が多いということです。いいかえれば、確率が大きいということですね。それは、あたかも、あなたが、ある特定の場所にいるという確率よりも、日本全体のどこかにいる確率の方がはるかに大きいということからも理解できるでしょう。狭い空間に閉じ込められているよりも、広い空間に広がっている状態が起こる確率が大きいということですね。くわしいお話はさておき、この議論の延長として、宇宙が膨張していることが、見かけ上の時間のすすむ方向を決めている、と考えることもできます。

ところで、ある生物学者の話によると、哺乳類に限れば、一生の中で打ち続ける心拍数は、種類に関係なく、およそ20億回だといいます。重さ30グラムのハツカネズミは毎秒10回打つので、およそ3年で使い果たし、重さ十数トンのクジラは数秒に1回くらいなので100年近く生きるというのです。そこで、私たち生物は、何か繰り返し現象を時計にして経過する時間を感覚的に感じているとすれば、一生の心拍数が一定だということは、当事者にとっては、みんな同じ時間の一生を感じているといってもいいのかもしれません。寿命15年の犬は、15年で一生を生ききったということで、人間にくらべて短い寿命だったなどとは考えてはいけないのかもしれません。さらに、単位体重あたりで考えると、すべての哺乳類で、心拍1回あたりに消費するエネルギーの量は一定だとされています。自然界の公平さには、驚くばかりです。

それにしても時間は不思議です。楽しい時はあっという間に過ぎてしまい、退屈な会議の時間はなかなか過ぎようとしません。時計で測れば同じ試験時間でも、受験生にとっては短く、試験監督の教員にとっては長く、退屈この上なしの時間です。その一方で、年齢を重ねるごとに、時が速く経過するように感じます。この不思議を算数の問題として考えてみましょう。ある距離（S）を、速さ（V）で移動するのにかかる時間（T）は、T＝S÷Vです。ここで時間（T）を「感じる時間」、距離（S）を「仕事の量」、速度（V）を「仕事をこなす速さ」だとして考えてみます。楽しいときには、つぎからつぎへと押し寄せてくる楽しさで、脳のはたらきが活発です。つまり、分母のVが大きくなりますからTは小さくなり、感じる時間は短くなります。退屈なときには、その逆でVが小さくなりますので、Tは大きくなります。また、年をとると、細胞の働きもにぶくなり、同じ量の仕事をこなすのに、時間がかかるようになります。つまり、さきほどの式でいえば、分母のVが小さくなり、感じる時間（T）が大きくなるというわけです。あるいは、70歳の人の1年は人生の70分の1ですが、10歳のこどもの1年は、人生の10分の1ですから、その分、たくさんの時間があるように感じるということなのかもしれません。

以上、時間について、いろいろの側面から概観してきましたが、時間の正体はいまだにぼんやりしています。しかし、少なくとも、すべてに共通する一定不変の客観的時間は存在せず、個人の意識との関わりにおいて存在するということは確かなようです。実体としての過去、未来はなく、存在するのは「今」というこの現在だけです。しかし、この瞬間の現在は、過去の集積の結果としてもたらされたものであり、それは、未来を創出する出発点でもあります。ということは、記憶としての「過去」の価値は、これからの「未来」をどう生きるかによって、いかようにでも書き換えることが可能です。「これから」が「これまで」を決める、ということです。生きているとは、時間を創出する営みだと言えるのかもしれません。ここでのくわしい議論はしませんが、無からの宇宙創生理論には虚数（2乗するとマイナスになる数）の時間が登場します。それは、無の世界から、さりげなく、ぽっと宇宙が生まれるには、私たちの感覚では感じることができない虚数時間が流れていると考えると、きれいな数学的理論になるからです。それと同じように、心の中を自由に行き来する時間が虚数時間だとすれば、虚数時間は空間座標の延長だと考えられますから、過去と未来は互いに絡み合っていることになり、私たちにとっての過去はいつも新しく、未来はなつかしい存在だということになります。

あとがき

これまでの88年の日々を振り返って、つくづく思うのは、人生は、すべてものごとや人との出会いによって構築されるということです。だからこそ、どんな小さな出会いであっても、誠実に、そして真摯に受けとめるという気持ちを忘れないことが大切です。しかし、時には、よりによって、なんでこのような苦境に出会わねばならないのかと、思いたくなるような事態に遭遇することもあります。そんなとき、その原因を、自分以外の他に探し始めると、逆に、自分をますます窮地に追い込むことになります。それを避けるためには、たとえ、そのできごとが極めて不条理で受け入れ難いものであっても、とりあえず、まるごと受け入れ、状況を冷静に眺めてみると、〝こんな状態になっても、まだ、そこまでにならなくてよかった〟という何かが、必ず見つかるものです。どんなに小さなことでも、そのことに気づけば、それを突破口にして、解決への道が必ず見えてきます。〝正しく諦める〟ということです。ここでの〝諦める〟とは、すべてを放棄するという意味ではなく、ひとまず、「すべてを受け入れることに解決への第一歩がある」ということが〝明らかになる〟ということです。

これも、私たちの人生は、すべて宇宙の中の「できごと」として、独立存在なのではなく、あらゆるものと相互に係わり合いながら構築される相互依存の存在だからです。そして、人生は、後半に入るほど面白く豊かになってきます。それは、未来の半分は予測できても、あとの半分は予測できないのですから、明日を生きることで、いいことに出会える確率が大きくなるからです。社会には定年があっても、自分自身からの引退はできないのが人生ですから、人生はすべて現役だということです。

最後になりましたが、単行本化にあたり、広範囲にわたる内容のエッセイをわかりやすい章立てにして組みなおしてくださった編集者の西広佐紀美氏、装丁でご協力くださった帆足英里子氏、挿絵を提供いただいた田辺博保氏、毎日新聞出版の永上敬氏に心からの御礼を申し上げます。

2023（令和5）年6月　あじさいの美しい季節にて

佐治　晴夫

佐治 晴夫（さじ・はるお）

1935年、東京生まれ。理学博士（理論物理学）。東京大学物性研究所、松下電器東京研究所を経て、玉川大学教授、県立宮城大学教授、鈴鹿短期大学学長を歴任、現在、同短期大学名誉学長、大阪音楽大学大学院客員教授、北海道・美宙（MISORA）天文台台長。量子論的無からの宇宙創生にかかわる“ゆらぎ”の理論研究で知られる。宇宙研究の成果を平和教育のリベラルアーツと位置づけた講義を全国的に展開している。日本文藝家協会所属。代表的著書として、『14歳からの数学』、『14歳のための宇宙授業』、『マンガで読む14歳のための現代物理学と般若心経』、『男性復活』（以上春秋社）、『詩人のための宇宙授業』（JULA 出版局）、『夢見る科学』、『おそらにはてはあるの？』（玉川大学出版部）、『量子は不確定性原理のゆりかごで宇宙の夢をみる』（トランスビュー）、『この星で生きる理由〜過去は新しく、未来はなつかしく』（KTC 中央出版）、『宇宙のカケラ　物理学者、般若心経を語る』（毎日新聞出版）など、88冊を超える。

本書は東京急行電鉄発行「ＳＡＬＵＳ」連載（２０２２年８月〜２０２３年４月）に書き下ろしを加えたものです。

編集・構成　西広佐紀美
装丁・本文　帆足英里子
絵・田辺博保

続・宇宙のカケラ
物理学者の詩的人生案内

印　刷　二〇二三年六月十五日
発　行　二〇二三年六月三〇日
著　者　佐治晴夫
発行人　小島明日奈
発行所　毎日新聞出版
〒一〇二-〇〇七四
東京都千代田区九段南一-六-一七　千代田会館五階
営業本部　〇三（六二六五）六九四一
図書編集部　〇三（六二六五）六七四五

印　刷　精文堂印刷
製　本　大口製本

ISBN 978-4-620-32777-8